COMMENT J'AI TUÉ MON PÈRE... SANS LE FAIRE EXPRÈS

Traduit de l'anglais
par Laurence Kiefé

Cet ouvrage a été réalisé
par les Éditions Milan avec la collaboration
de Marianne Magnier-Ripert.
Conception graphique : Bruno Douin
Mise en page : Pascale Darrigrand

Première édition en langue anglaise publiée en 2002
sous le titre *Martyn Pig* par Chicken House, 2 Palmer Street, Frome,
Somerset, BA11 1DS
300, rue Léon-Joulin, 31101 Toulouse Cedex 9, France
Loi 49-956 du 16 juillet 1949
sur les publications destinées à la jeunesse.
ISBN: 978-2-7459-3005-7
www.editionsmilan.com

KEVIN BROOKS

COMMENT J'AI TUÉ MON PÈRE... SANS LE FAIRE EXPRÈS

MACADAM
MILAN

1.

Difficile de savoir par où commencer. Je pourrais sans doute vous raconter l'endroit où je suis né, comment ça se passait quand maman vivait encore là, ce qui est arrivé quand j'étais môme, ces trucs-là, mais ce n'est pas exactement mon propos. Peut-être que si, en fait. Je ne sais pas. De toute façon, je ne m'en souviens pratiquement pas. Il ne me reste que des bribes d'événements réels ou inventés – des fragments d'images, de vagues sensations, des photos pâlies de gens anonymes et d'endroits oubliés – ce genre de choses.

Quoi qu'il en soit, on va d'abord se débarrasser de cette histoire de nom.

Martyn Pig.

Martyn avec Y, Pig avec un I et un seul G.

Martyn Pig, autrement dit Martyn Cochon.

Oui, je sais. Ne vous inquiétez pas. Ça ne me dérange plus maintenant. J'y suis habitué. Attention, à une époque, j'étais complètement obsédé. Mon nom me gâchait la vie. Martyn Pig. Pourquoi devais-je affronter ça ? Les regards surpris, les ricanements, les sourires en coin, les reniflements, les innombrables blagues sur les cochons, à longueur de journée, ça n'arrêtait jamais. Pourquoi ? Pourquoi moi ? Pourquoi je ne pouvais pas avoir un nom normal ? Keith Watson, Darren Jones… quelque chose comme ça. Pourquoi on m'avait collé un nom qui faisait se retourner tout le monde, un nom qui me faisait remarquer ? Un nom rigolo. Pourquoi ?

Et il n'y avait pas que les injures qui me ravageaient, mais aussi tout le reste. Chaque fois que je devais donner mon nom, je commençais à me sentir malade. Physiquement malade. Les mains moites, la tremblote, l'estomac noué. Pendant des années, j'ai vécu avec l'angoisse permanente d'avoir à me présenter.

– Nom ?

– Martyn Pig.

– Pardon ?

– Martyn Pig.

– Pig ?

– Oui.

– Martyn Pig ?

– Oui. Martyn avec un Y, Pig avec un I et un seul G.

Si on n'a pas soi-même un nom tordu, on ne sait pas ce que ça signifie. On peut pas comprendre. Si les mots font mal, dit-on, ils ne sont jamais aussi douloureux qu'une bonne raclée. Ah ouais ? Eh bien, celui qui a raconté ça était un vrai idiot. Un idiot qui portait un nom banal, probablement. Les mots font très mal. Porky, Piggy, Pigman, Groink, Dulard, Kipu, Grolard, Le Dégueu…

J'en voulais à mon père. Je lui ai demandé une fois s'il avait jamais pensé à changer de nom.

– À changer quoi ? il a marmonné sans même lever le nez de son journal.

– Notre nom. Pig.

Il a attrapé sa bière sans rien dire.

– Papa.

– Quoi ?

– Rien. C'est pas grave.

Il m'a fallu très longtemps pour découvrir la meilleure façon de supporter les injures : les ignorer. Pas facile, mais si on réussit à garder ses distances en laissant les autres agir à leur guise, eh bien, au bout d'un moment, ils finissent par se lasser et ils vous fichent la paix.

Pour moi, en tout cas, ça marche. Quand je donne mon nom, j'ai toujours droit à un regard surpris. Les nouveaux enseignants, bibliothécaires, médecins, dentistes, marchands de journaux font tous pareil : ils plissent les yeux, froncent les sourcils, me jettent un œil en biais… Il plaisante, le petit gars, ou quoi ? Et puis leur gêne dès qu'ils comprennent que je suis sérieux. Mais ça, je peux m'en débrouiller. J'y suis habitué. Avec du temps, on s'habitue à tout.

Au moins, on ne m'appelle plus Porky. Enfin… plus très souvent.

L'histoire que je vais vous raconter date d'il y a juste un an. Pendant la semaine avant Noël. Le mercredi.

J'étais dans la cuisine en train de remplir un sac-poubelle de bouteilles de bière vides ; papa, appuyé contre la porte, fumait une cigarette en m'observant de ses yeux injectés de sang.

– T'avise pas de les emporter à la benne du verre, a-t-il dit.

– Non, papa.

– Ce fichu enviroment par-ci, enviroment par-là… si quelqu'un a l'intention de réutiliser mes bouteilles vides, faudra qu'il me les paye. Moi, je les ai pas eues gratis que je sache.

– Non.

– Pourquoi qu'il faudrait que je les donne ? Qu'est-ce qu'il a jamais fait pour moi l'enviroment, hein ?

– Mmmm.

– Saleté de bennes du verre…

Il s'est interrompu pour tirer sur sa cigarette. J'ai envisagé de lui expliquer que l'enviroment, ça n'existe pas et puis j'y ai renoncé. J'ai rempli le sac-poubelle, je l'ai fermé et je me suis attaqué au suivant. Papa contemplait son reflet dans la porte vitrée et frottait les poches qu'il a sous les yeux. Il aurait pu être séduisant s'il n'avait pas bu. Séduisant dans le genre petit voyou râblé. Un mètre soixante-dix, une bouche de dur, une mâchoire carrée, des cheveux noirs et lui-sants. Il aurait pu ressembler au méchant comme on voit dans les films – ceux dont les dames ne peuvent pas s'empêcher de tomber amoureuses, même si elles savent que ce sont des méchants – mais c'était raté. Il avait l'air de ce qu'il était : un ivrogne. Une bonne petite bedaine, le teint cramoisi, le blanc des yeux jaune, les joues tombantes et une nuque épaisse, empâtée. Vieux et usé à quarante ans. ·

Il s'est penché au-dessus de l'évier, il a toussé, craché et jeté sa cendre dans le trou.

– Cette satanée bonne femme vient vendredi.

« Cette satanée bonne femme. » Ma tante Jeanne. La sœur aînée de papa. Une femme épouvantable. Pensez à la pire personne que vous connaissez, doublez la mise et vous serez encore loin du compte. Pour être franc, je peux à peine supporter de la décrire. Monstrueuse, c'est le premier mot qui me vient à l'esprit. Folle, laide et monstrueuse. Une femme décharnée, froide et dure, avec des cheveux bleus ondulés et une tête à faire peur. Je ne sais pas de quelle couleur sont ses yeux, mais on dirait qu'ils ne se ferment jamais. Ils dégagent à peu près autant de chaleur que deux trous sans fond. Elle a une bouche mince et rouge vif, comme pourrait en dessiner un enfant perturbé. Et elle marche plus vite que ne courent la plupart des gens. Elle se déplace comme un chasseur, rapide et silencieuse, prête à foncer sur sa proie. Quand j'étais petit, elle me donnait souvent des cauchemars. Et ça continue.

Elle venait toujours la semaine avant Noël. Je ne sais pas pourquoi. Elle restait assise pendant trois heures à se plaindre de tout. Et si elle ne râlait pas, elle tournait et virait dans la maison : elle passait son doigt sur la poussière, inspectait les placards, fronçait les sourcils devant l'état des vitres, critiquait tout.

– Mon Dieu, William, mais comment peux-tu vivre ainsi !

Tout le monde appelait mon père Billy, mais tante Jeanne l'appelait toujours par son prénom complet, en insistant sur la première syllabe – Ouil-iam – ce qui le faisait sursauter chaque fois. Il la détestait. Elle lui faisait horreur. Il en avait une peur bleue. Avant qu'elle débarque, il planquait ses provisions. Surtout dans le grenier. Ça lui prenait des siècles. Il montait et descendait l'échelle, les bras chargés de bouteilles qui s'entrechoquaient, de plus en plus cramoisi et sans cesse de marmonner : « Satanée bonne femme, satanée bonne femme, satanée bonne femme… »

L'opinion des gens sur son ivrognerie lui était généralement indifférente, sauf celle de tante Jeanne. Lorsque maman nous a abandonnés – il y a des années de ça – tante Jeanne a essayé d'obtenir ma garde. Elle voulait que je vive avec elle, pas avec papa. Dieu sait pourquoi, elle ne m'a jamais aimé ! Mais elle aimait encore moins papa, elle le rendait responsable du divorce, elle disait qu'il avait poussé maman « au bord du désespoir » et qu'elle n'allait pas « rester là à

le laisser gâcher, en plus, la vie d'un enfant innocent ». Mais ces discours n'étaient qu'un ramassis de
bêtises. Mon innocente existence, elle s'en fichait
comme d'une guigne, elle voulait seulement frapper
papa pendant qu'il était à terre, le frapper là où ça fait
mal, le dépouiller de tout. Elle le méprisait autant
qu'il la méprisait. Je ne sais pas pourquoi. Une
histoire entre frère et sœur, j'imagine. Son plan ?
Dénoncer l'alcoolisme de papa. D'après elle, les auto-
rités la préféreraient à son pochard de frère. Ils
n'accepteraient jamais de me laisser vivre avec un
ivrogne. Mais elle avait sous-estimé papa. Lui, il avait
encore plus besoin de moi qu'elle. Sans moi, il n'était
qu'un alcoolique. Mais avec moi, c'était un alcoolique qui avait des responsabilités, des allocations
familiales… et quelqu'un pour nettoyer son vomi.

Dès qu'il avait su que tante Jeanne avait demandé la
garde, pendant plus de deux mois, il n'avait pas touché
à la moindre bouteille. Pas bu une goutte. Pas le moindre
petit coup. Incroyable. Il se rasait, il se lavait, il portait
un costume, il lui arrivait même de sourire de temps en
temps. J'en étais presque venu à l'aimer. Tante Jeanne
pouvait définitivement renoncer à ses ambitions. C'était
fichu. Elle n'avait pas la moindre chance. Pour le monde
entier, M. William Pig représentait le père idéal.

Le jour où, officiellement, on m'a remis entre
les mains aimantes de mon père, il est sorti picoler
et je ne l'ai plus revu pendant trois jours. Quand

il a réapparu – pas rasé, puant et blafard –, il s'est affalé dans la cuisine où j'étais en train de préparer du thé, s'est penché vers moi avec un sourire de dément et m'a craché en pleine figure d'une voix pâteuse :

– Tu te souviens de moi ?

Puis il s'est écroulé dans l'évier et s'est mis à vomir.

Voilà pourquoi il cachait ses bouteilles. Il ne voulait pas donner à tante Jeanne le moindre prétexte pour rouvrir l'affaire de la garde. Il ne se souciait pas tant de me perdre que de devoir se priver à nouveau de boisson pendant deux mois.

– Satanée bonne femme ! a-t-il continué à marmonner tandis que je m'attaquais aux canettes de bière vides que j'aplatissais systématiquement avant de les mettre dans un nouveau sac-poubelle. Elle vient à quatre heures, après-demain, alors arrange-toi pour que la maison soit nickel.

– Oui, ai-je répondu en essuyant la paume de mes mains, humides de bière éventée.

J'ai attrapé un nouveau sac, papa est resté là à me regarder encore un moment, puis il a fait demi-tour pour aller s'affaler dans le salon.

Chez nous, Noël, ça ne changeait rien. Pour moi, ça faisait seulement deux semaines sans cours et, pour papa, une bonne excuse pour boire, excuse dont il se passait très bien. On était loin de l'esprit des fêtes, de la bonté envers l'humanité, des rouges-gorges et du houx – les vacances se résumaient à une enfilade de journées froides et pluvieuses avec pas grand-chose pour les remplir.

J'ai passé presque tout le mercredi après-midi en ville. Papa m'avait donné de l'argent – quatre billets de cinq livres crasseux – en me disant de « rapporter des trucs pour Noël : une dinde, des patates, des cadeaux… des choux de Bruxelles, des machins comme ça ». Il était trop tôt pour acheter la nourriture, Noël n'était que dans une semaine, mais je n'allais pas discuter. S'il voulait que j'aille faire les courses, je lui obéirais. Une occupation comme une autre.

J'étais déjà dans la rue quand j'ai entendu un cri – « Mar'n » – et je me suis retourné. Papa était penché à la fenêtre de sa chambre, torse nu, une cigarette au bec.

– Oublie pas ces saletés de trucs ! a-t-il braillé en faisant un mouvement saccadé des deux mains, comme s'il tirait sur des cordes invisibles.

– Quoi donc ? ai-je crié à mon tour.

Il a ôté la cigarette de sa bouche, il est resté les yeux dans le vide puis a fini par lâcher :

– Les pétards ! Rapporte ces satanés pétards de Noël ! Des gros, fais gaffe, pas ces petites saloperies !

En ville, devant le magasin Sainsbury's, un Père Noël terrifiant était avachi à l'arrière d'un traîneau de contreplaqué. Il était petit et mince. Tellement mince que sa grosse ceinture noire de Père Noël faisait deux fois le tour de sa taille. Sous la fausse barbe mal ajustée et plus très blanche, on voyait apparaître la vraie, drue et noire, et – d'après moi, le détail qui tuait – il était chaussé d'une paire de baskets flambant neuves. Quand il disait *Ho-ho-ho* pour attirer le client, on aurait dit un serial killer. Son traîneau de contreplaqué était traîné par six rennes de même matière, couleur chocolat fondu, avec des yeux rouges scintillants et des bois en forme de portemanteau décorés de branches de houx en plastique.

Il pleuvait.

J'ai observé le Père Noël maigrichon un petit moment – chaque gamin qui passait avait droit à trente secondes d'attention et à une surprise – puis je suis parti vers l'autre extrémité de la ville. Tout en marchant, je réfléchissais à cette histoire de Père Noël. J'essayais de me souvenir si j'avais jamais vraiment cru qu'un gros bonhomme en costume rouge se faufilait dans des millions de cheminées en une seule nuit. J'ai dû y croire. J'ai un très vague souvenir de m'être retrouvé assis sur les genoux d'un Père Noël quand j'avais trois ou quatre ans. Je n'ai pas oublié le contact désagréable de son pantalon de nylon rêche, de sa barbe collante et de son étrange odeur fruitée.

Quand je lui avais demandé où il vivait, une voix familière et pâteuse avait répondu : « En Pologne… au nord de la Pologne… dans un igloo souterrain avec vingt-deux nains – *hic* – et un renne de traîneau. »

Il pleuvait toujours quand je suis parvenu aux *Bonnes Affaires*, un de ces magasins bon marché qui vend un tas de camelote : tasses, serviettes, poufs en plastique, trousses, etc. À l'étage, le rayon Jouets était rempli de ballons de foot minables et de pistolets en plastique. On pouvait les essayer. Une flèche pointée sur la gâchette indiquait *Appuyez* et quand on appuyait, ça faisait *ta-ta-ta-ta-ta-ta-ta-ta-ta-ta* ou *pshion-pschion-pschion*. Un vrai bruit de ricochet. J'ai fait un tour, en regardant les casiers pleins de bricoles – animaux en plastique, vaches, moutons, crocodiles, serpents en caoutchouc, pistolets à eau. J'espérais trouver un truc pour Alex, un cadeau. Rien de sérieux, une babiole quoi. L'année précédente, je lui avais acheté des araignées en plastique. Je ne me souviens pas de ce qu'elle m'a offert.

En tout cas, j'étais là à contempler les jouets, essayant de trouver quelque chose susceptible de lui plaire et qui serait dans mes moyens, quand je me suis brutalement rendu compte qu'en réalité, je ne regardais rien du tout. Ou plutôt, je regardais sans voir. À cause du bruit qui m'empêchait de me concentrer. Une immonde mélodie de Noël à trois sous sortait des haut-parleurs du plafond – des vieux chanteurs gémissants qui se donnaient trop de mal pour être heureux, sur fond de clochettes de traîneau et de piano guilleret. Insupportable. Un grand tourbillon de sons heurtés me vrillait la tête. J'avais beau essayer de l'ignorer, il devenait de plus en plus envahissant. Et en plus, il faisait beaucoup trop chaud. J'étouffais, je manquais d'air. Je n'arrivais plus à respirer. Le bruit était paralysant – le bavardage des armes, la conversation des animaux, le hurlement des sirènes de police *ta-ti-ta-ta-ti-ta*, les parents qui criaient après leurs enfants, qui leur tapaient sur le bras, les gosses qui braillaient, le *bip bip bip bip* constant des caisses enregistreuses, la musique… J'avais l'impression d'être en plein cauchemar.

Il fallait que je sorte de là.

Je suis allé m'asseoir dans le square. La pluie avait cessé, mais l'air était humide et froid. La sueur poisseuse qui me dégoulinait dans le dos ne m'était pas familière. Assis sur un mur de briques bas, j'observais des pigeons boiteux picorer des miettes tandis que la plainte inarticulée d'un vieux musicien des rues barbu flottait jusque-là, venant du centre commercial tout proche. Il est tout le temps là, à jouer toujours la même chanson déprimante. « Quand je serai vieux et borgne, je ne ferai plus rien que contempler le ciel… » Deux enfants, des morceaux de pain à la main, poursuivaient en criant les pigeons d'un bout à l'autre du square. En bruit de fond, j'entendais la rumeur constante des milliers de personnes qui arpentaient les rues encombrées. Elles bavardaient, jacassaient, se plaignaient de bêtises – et *patati et patata* et *bla bla bla bla bla bla* et *patati et patata*. Venus de rues plus éloignées, les sons discordants d'autres musiciens ambulants se mêlaient maladroitement au brouhaha ambiant – un orgue de Barbarie, le *ding dong* d'un banjo, de la musique péruvienne, le sifflement aigu d'une flûte…

Un bruit de fous. Trop de monde, trop d'immeubles, trop de bruit, trop de tout.

Il est là en permanence, ce bruit, mais personne ne l'écoute jamais. Parce que, dès qu'on commence à prêter l'oreille, on ne peut plus s'arrêter, et à la fin, ça rend complètement maboul.

Un cinglé échevelé, qui mâchonnait un feuilleté gras, s'est assis à côté de moi et m'a souri. Des morceaux de pomme de terre molle lui collaient aux dents. J'ai décidé de partir. À force de rester assis sur ce mur détrempé, j'avais les fesses gelées et mouillées, et il recommençait à pleuvoir. J'ai repris les petites rues, puis j'ai coupé à travers le parking du centre commercial ; j'ai traversé le pont et longé la bibliothèque jusqu'au marché où des hommes à l'air rusé, vêtus de longs imperméables de nylon et portant des mitaines, attendaient derrière leur stand, en buvant des cafés brûlants dans des gobelets en plastique. Encore du bruit – du rock'n roll merdique, des cantiques de Noël, les cris des marchands dominant le brouhaha : « Par ici les bonnes dindes ! Elles sont là les belles dindes ! » « Papier cadeau : dix feuilles pour une livre ! Il est là, le beau papier cadeau ! »

J'ai acheté la première dinde sur laquelle je suis tombé. Un truc blanchâtre et humide dans un sac. D'ici une semaine, son goût serait encore pire que son aspect, mais ça n'avait aucune importance. Le jour de Noël, papa serait tellement soûl qu'il boufferait n'importe quoi. Il mangerait une mouette si jamais je lui en proposais une. Crue.

J'ai acheté aussi des choux de Bruxelles et des pommes de terre, un cake, des chips, une boîte de pétards bon marché et un paquet de décorations de Noël en promo. Après, j'ai tout trimballé à la maison.

Il faisait nuit lorsque je suis rentré. Tous ces sacs m'avaient fait mal aux bras, j'avais les mains et les pieds gelés et la nuque raide. En plus, j'avais attrapé un rhume. J'avais la goutte au nez et j'étais obligé de poser tout le temps mes courses pour m'essuyer.

Alex attendait à l'arrêt d'autobus. Elle m'a fait un signe de la main et j'ai traversé la rue.

– T'as le nez qui coule, a-t-elle remarqué.

– Oui, je sais, ai-je répondu en m'essuyant sur ma manche. Où tu vas ?

– Chez Dean.

– Oh !

– Qu'est-ce qu'il y a dans tes sacs ?

– Des trucs pour Noël.

– Quelque chose pour moi ?

– Peut-être.

– Encore des araignées ? a-t-elle demandé en souriant.

– On ne sait jamais.

Lorsqu'elle souriait, ça me donnait parfois l'impression d'avoir l'estomac qui se retournait, comme… Je trouve pas de comparaison. Une de ces sensations dont on ne peut déterminer si elle est agréable ou pas. Ce genre-là.

J'ai posé les sacs par terre et j'ai regardé les voitures défiler dans les deux sens. Métal, caoutchouc, vapeurs d'essence, gens, tout le monde se déplaçait, allait quelque part, vaquait à ses occupations. L'intérieur de l'abribus en béton était d'une banalité désespérante : un tableau des horaires sans verre, déchiré et barbouillé, le sol jonché de cochonneries mouillées, les murs couverts de graffiti stupides – *Dec + Lee… Yeah man !… Duffy = pédé…*

Je me suis assis sur le siège pliant à côté d'Alex.

– Ras le bol ? a-t-elle demandé.

– Ça va.

Elle s'est penchée pour voir le contenu des sacs en plastique et elle en a poussé un du pied.

– Joli petit poulet, a-t-elle remarqué.

– C'est une dinde.

– Un peu petit, pour une dinde.

– C'est une dinde de petite taille.

– À mon avis, tu vas t'apercevoir qu'on t'a refilé un poulet, Martyn.

Elle m'a souri et je lui ai rendu son sourire. Ses yeux brillaient comme des billes limpides, rondes, parfaites.

– Tu as vu les Rolf Harris ? a-t-elle demandé.

– Quoi ?

– En ville, dans la zone piétonne. Il y avait tout un tas de gens habillés en Rolf Harris. Tu sais, avec les lunettes et la barbe, et les cheveux frisés. Tu ne les as pas vus ?

– Non.

– Ils avaient des didgeridoos, tu sais, ces immenses flûtes australiennes, et tout ça.

– Pourquoi ils étaient déguisés en Rolf Harris ?

– Je sais pas. Pour Noël, j'imagine.

– Quel rapport y a-t-il entre Rolf Harris et Noël ?

– Ils chantaient des cantiques.

– Un chœur de Rolf Harris ?

Elle s'est mise à rire en hochant la tête.

– C'est les bonnes œuvres, a-t-elle expliqué.

– Ah bon, alors dans ce cas, tout va bien.

Elle a levé les yeux et fait un signe à une fille qui passait de l'autre côté de la rue. Je ne savais pas qui c'était, rien qu'une fille. Je me suis frotté la nuque.

J'étais encore en sueur, mais ça allait mieux que tout à l'heure. Dans l'abribus ça puait. Ma manche était raide de morve gelée et mes pieds s'engourdissaient un peu plus à chaque seconde. Mais en dépit de tout cela, je me sentais bien, assis là à bavarder, à ne rien faire, à regarder le monde tourner…

– Voilà l'autobus, a dit Alex en fouillant dans son sac à la recherche de son porte-monnaie. Faut que j'y aille. À plus tard.

– D'accord.

L'autobus s'est arrêté, les portes se sont ouvertes et Alex est montée.

– Vers dix heures ? a-t-elle crié par-dessus son épaule.

– D'accord.

Je ne l'ai pas quittée des yeux pendant qu'elle payait. Le chauffeur du bus a appuyé sur les boutons de sa machine et le ticket est sorti. Elle a cligné lentement des yeux, ses lèvres ont dit « Merci » et j'ai fixé ses cheveux d'un noir de jais tandis qu'elle prenait le ticket, le roulait et se le collait au coin de la bouche. Elle a remonté le col de sa veste de treillis et j'ai vu l'éclair blanc de son T-shirt entre les pans de son blouson ouvert tandis qu'elle se dirigeait avec grâce vers le fond de l'autobus. J'ai attendu en vain qu'elle tourne la tête alors que le bus repartait en vibrant avant de disparaître dans le premier virage.

Elle n'a pas jeté un regard en arrière.

J'ai rencontré Alex il y a environ deux ans, quand elle a emménagé avec sa mère dans une maison à louer, presque en face de chez nous. Je me souviens de les avoir observées par la fenêtre de ma chambre, tandis qu'elles déchargeaient toutes leurs affaires d'un camion de déménagement et je me souviens de m'être dit qu'elle était bien jolie. Jolie. Belle même. Dans le genre débraillé, avec des cheveux noirs mal coiffés qui sortaient d'un bonnet noir informe. Elle portait un vieux jean usé et un long pull-over rouge. Sa façon de marcher me plaisait aussi. Elle avançait par bonds pleins d'aisance.

Et si... avais-je pensé, et si je sortais lui dire bonjour ? Salut, je m'appelle Martyn, bienvenue dans la rue. Quelque chose dans ce goût-là. J'aurais pu le faire, non ? Ça n'aurait pas été trop difficile. Salut ! Je m'appelle Martyn, comment ça va ?...

Ne sois pas ridicule. Il n'en était pas question, même dans dix mille ans.

Elle avait quinze ans à l'époque et moi quatorze. Presque quatorze, en fait. D'accord, j'en avais treize. Elle était une jeune femme, et moi, un gamin empoté.

J'avais eu une idée ridicule.

Alors, je me suis contenté de rester posté à la fenêtre. Elle est montée à l'arrière du camion. Je l'ai regardée tirer le bazar dehors pour le passer à sa mère. Elle a sauté du camion et tapé son jean pour se débarrasser de la poussière. Je l'ai regardée bondir dans l'allée en tenant à deux mains un gros vase vert, je l'ai vue trébucher sur un pavé descellé ; le vase est parti en vol plané avant d'atterrir en miettes sur le seuil. Là, elle va s'en manger une, j'ai pensé. Mais quand sa mère est sortie, elles se sont simplement regardées pendant une seconde, puis elles ont commencé à rire en contemplant les restes du vase ; elles riaient en hennissant comme deux folles. J'en croyais pas mes yeux. Si j'avais été à sa place, papa m'aurait incendié et j'aurais eu droit à une bonne tape sur la tête.

Lorsqu'elles ont enfin cessé de rire, la mère d'Alex a commencé à ramasser les gros morceaux de verre, qu'elle a mis dans un carton. Pour une femme, elle était plutôt grande. Et boulotte, aussi. Avec des cheveux noirs comme Alex, mais courts. Et un teint gris et terne, comme si sa peau avait besoin d'être nettoyée. Elle était vêtue d'une salopette délavée et d'un T-shirt noir et portait de longues boucles d'oreilles en perles et des bracelets aux poignets. Au moment d'entrer chez elle, le carton dans les mains, elle a levé les yeux vers moi. J'ai détourné le regard. En ressortant, armée d'une pelle et d'une balayette, elle a encore jeté un œil en coin vers ma fenêtre, puis s'est penchée pour ramasser ce qui restait du vase brisé. Elle avait dû dire quelque chose parce que, alors que je m'apprêtais à disparaître, Alex s'est retournée, m'a fait un grand sourire et un signe de la main.

– Eh !

J'ai répondu par un petit salut embarrassé.

– Tu es occupé ? a-t-elle crié.

– Quoi ?

– Tu es occupé ? Autrement, descends nous donner un coup de main.

J'ai levé le pouce en l'air et aussitôt, j'ai regretté mon geste idiot.

N'y pensons plus.

Vite, j'ai enfilé un T-shirt propre et descendu l'escalier sur la pointe des pieds, pour ne pas réveiller papa qui cuvait son déjeuner dans le salon. En traversant la rue, je me sentais les jambes en coton. J'avais oublié comment on marchait. J'étais un idiot chancelant.

Alex m'a souri et mes jambes ont bien failli me lâcher.

– Salut, a-t-elle dit.

– Salut.

– Alexandra Freeman. Alex.

– Martyn, ai-je répondu en secouant la tête de bas en haut comme un crétin. Euh… Martyn.

– Voilà ma mère.

– Bonjour, Martyn. Enchantée !

– Idem.

Alex s'est mise à rire.

Tout allait bien.

Alex partie dans l'autobus, je me suis traîné de l'autre côté de la rue, me sentant encore plus mal que tout à l'heure. L'impression de bien-être que j'avais ressentie dans l'abribus s'était évaporée. Cafardeux. Voilà comment j'étais. J'avais le cafard. J'étais abattu comme… je sais pas quoi. Quelque chose d'abattu. Quand elle allait voir Dean, je me sentais toujours mal. Dean, c'était son petit ami. Dean West. Il avait dix-huit ans, il travaillait dans une boutique d'électronique – ordinateurs, sonos, gadgets électroniques. Un vrai crétin. Queue-de-cheval, ongles longs, mauvaise peau. Tout son visage était de la même couleur – les lèvres, les joues, les yeux, le nez – blanchâtre et pourri. Il circulait à moto et il essayait de prendre le genre motard, mais il pouvait toujours repasser, ce crétin blafard.

Une fois, je suis tombé sur eux en ville, Alex et Dean. Chez Boots. J'étais venu acheter des médicaments pour papa quand je les ai aperçus près de la cabine Photomaton. Dean dans son habituelle tenue noire de motard, moche comme toujours et encore plus blême sous la lumière froide du magasin, avec sa queue-de-cheval qui se balançait de droite à gauche comme celle d'une vache qui cherche à chasser les mouches. Alex portait un blouson de cuir que je n'avais jamais vu. Ça lui allait bien. Elle avait l'air de s'ennuyer un peu. Quand elle souriait à Dean, je voyais bien que le cœur n'y était pas. Ça m'a fait plaisir. Ils attendaient que leurs photos sortent. Des photos idiotes, pour s'amuser, probablement. Où on fait des grimaces, ha ! ha ! ha ! Je me suis détourné et j'ai fait semblant d'observer des boîtes de médicaments dans la vitrine du pharmacien ; j'espérais récupérer rapidement l'ordonnance de papa et partir.

– Martyn !

La voix d'Alex.

Je me suis retourné et j'ai dit « Salut » en faisant mine d'être surpris. Dean avait passé son bras autour des épaules d'Alex.

– Je te présente Dean, a annoncé Alex.

J'ai hoché la tête.

– Eh bien, a-t-il dit d'une voix traînante, le Pigman. Enfin, on se rencontre. Je sais tout sur toi.

Comme je ne savais pas quoi répondre, je me suis tu.

– T'as la chiasse, c'est ça ?

– Quoi ?

D'un signe de tête, il a montré la vitrine. J'ai regardé les boîtes que je venais de contempler avec tant d'intérêt : des médicaments contre la diarrhée.

– Non… non, une ordonnance, j'ai répondu en tentant de sourire. J'attends une ordonnance pour mon père.

– Ah ouais, a ricané Dean.

J'ai regardé Alex, dans l'espoir qu'elle me soutiendrait. Elle a détourné les yeux, l'air gêné.

– Viens, lui a dit Dean en la tirant par l'épaule.

Je suis sûr qu'elle s'était légèrement raidie à ce contact, mais ils ne s'en sont pas moins éloignés.

– À bientôt, Martyn, a crié Alex par-dessus son épaule.

Et Dean, stupidement, m'a fait un clin d'œil.

Je n'étais pas jaloux. Bon, enfin, un peu quand même. Mais pas d'une façon gnangnan, vous voyez le genre, pas comme un morveux qui boude. Ce n'était pas ça qui me fichait le cafard. Non, toute cette histoire, Alex et Dean, ça collait pas. Ça puait. Elle aurait jamais dû passer autant de temps avec ce type. Un vrai gâchis. Lui, c'était un nul. Leur histoire collait pas. Mais alors pas du tout. Alex était beaucoup trop bien pour lui.

La pluie se transformait en neige fondue. J'ai remonté lentement l'allée qui menait derrière la maison en trébuchant sur les crottes de chien, les mégots de cigarettes écrasés et les sacs-poubelle remplis de canettes de bière vides.

De toute façon, qu'est-ce que t'en as à fiche ? je me disais. Elle peut bien fréquenter qui elle veut.

Je me suis arrêté, en me demandant avec qui je pouvais bien discuter, puis j'ai haussé les épaules et je suis entré dans la cuisine.

– Pas trop tôt.

Papa était devant la fenêtre, vêtu d'une veste pleine de taches, en train de lamper sa bière en fumant une cigarette ; il couvrait la vitre de mousse à raser. Je l'ai regardé sans un mot et j'ai posé les sacs de commissions sur le frigo.

– Monnaie ? il a dit en tendant la main.

Je lui ai donné l'argent qui restait. Il a fait la grimace, l'a fourré dans sa poche et puis il est allé inspecter les sacs.

– T'as tout pris ?

– Je crois.

– Tu ferais mieux d'en être sûr, a-t-il répondu en plongeant la main dans un des sacs.

Je ne savais pas du tout à quoi il faisait allusion. Lui non plus, je parie. Il a fouillé dans les courses en grognant, sortant ci sortant ça, et sa cendre tombait partout ; il s'est arrêté, il m'a regardé et a demandé :

– Où sont les pétards ?

– Dans l'autre sac.

– D'accord, a-t-il répondu en haussant les épaules. Qu'est-ce que t'en penses ? a-t-il ajouté, tourné vers la fenêtre.

De la mousse à raser d'un blanc crémeux dégoulinait le long de la fenêtre, formant des grosses boules qui glissaient sur la vitre et venaient s'entasser sur le rebord en petits monticules savonneux. J'ai d'abord cru qu'il s'agissait d'une tentative débile pour nettoyer, mais c'était idiot, parce que papa ne faisait jamais le ménage… et puis j'ai compris. C'était censé être de la neige. Une décoration de Noël.

– Charmant, papa. Bonne idée.

– Ouais, bon…, a-t-il répondu, se désintéressant de la question. Tu ferais mieux de ranger ce bazar avant que ça pourrisse.

Est-ce que je le haïssais ? Cette grosse feignasse d'ivrogne me traitait comme de la merde. Alors, évidemment que je le haïssais. À ma place, n'importe qui l'aurait détesté, s'il l'avait rencontré. Dieu seul sait pourquoi maman l'avait épousé. Sans doute pour les mêmes raisons qui poussent Alex à sortir avec Dean. Un court-circuit quelque part. Oui, je le détestais. Je détestais chaque centimètre carré de sa personne. Depuis son nez rouge explosé de couperose jusqu'à ses pieds sales et puants. Ce gros plein de bière, je le haïssais.

Mais je n'ai jamais eu l'intention de le tuer.

Les choses n'arrivent pas comme ça, il y a toujours des raisons. Et les raisons, elles ont aussi des raisons. Rien n'avance en ligne droite, rien n'est simple. Voilà pourquoi, si on considère la situation sous un angle amusant, c'est l'intégrale illustrée de Sherlock Holmes qui a tué mon père. Si je n'avais pas reçu, comme cadeau d'anniversaire, cette édition de Sherlock Holmes, papa serait sans doute encore vivant. Sans doute.

On me l'a offerte pour mes dix ans, je crois. Ou peut-être mes onze ans. Dans cette période-là, en tout cas. Je ne me souviens pas qui. Pas maman, elle était déjà partie depuis belle lurette. Et pas papa, parce qu'il oubliait toujours mon anniversaire. Les seuls cadeaux qu'il m'ait jamais faits, c'est du linge sale et la tête au carré. De toute façon, peu importe d'où venait ce livre puisque quelqu'un me l'a donné. Réellement. Les aventures intégrales illustrées de Sherlock Holmes. Un énorme pavé, très épais, contenant toutes les histoires de Sherlock Holmes avec leurs illustrations d'origine : Sherlock avait une silhouette décharnée et effrayante, des yeux enfoncés et déments et une bouche cruelle. Je n'avais encore jamais lu d'histoires policières et j'aurais sûrement continué si je n'avais pas été justement cloué au lit par un virus. J'insiste, c'était vraiment un gros livre, pas loin de mille pages. Il pesait une tonne. Mais je m'ennuyais tellement, couché dans mon lit à ne rien faire ; je regardais les murs, j'écoutais papa se déplacer lourdement dans sa brume d'ivrogne en jurant parce qu'il était obligé de se préparer lui-même à dîner ; je m'ennuyais tellement que j'ai attrapé cet énorme pavé et je me suis mis à lire. Génial. Impossible de reposer le livre. J'ai adoré, toutes les histoires. Mille pages ? Pas suffisant pour moi. J'étais accro. Énigme après énigme. J'ai tout lu en deux jours. Et après, j'ai tout relu.

Voilà comment j'en suis arrivé à aimer les romans à énigmes. Les policiers, les polars, les thrillers, les romans à suspense, appelez ça comme vous voulez, je les adore.

Après avoir rangé toutes les courses, nettoyé ce qui traînait, fait la vaisselle et préparé des tartines de fromage fondu pour papa, je suis monté dans ma chambre m'étendre sur mon lit pour essayer de lire. *Le Grand Sommeil*, de Raymond Chandler. Au cas où vous ne le sauriez pas, Raymond Chandler est le plus grand auteur de policiers de tous les temps. Philip Marlowe, voilà le héros de ses romans. Marlowe, détective privé. Imperturbable, dur, amer et drôle. Un homme d'honneur. Des rues dangereuses. Des bandits dangereux. Une ville dangereuse. Des filles méchantes, gentilles ou cinglées. Des bons flics, des méchants flics. Des dialogues à l'emporte-pièce. Du chantage, du meurtre, du mystère et du suspense. Et une intrigue plus tortillée qu'un serpent qui a mal au ventre. J'avais déjà lu tous les autres romans de Marlowe et ça faisait des siècles que j'attendais de découvrir *Le Grand Sommeil*. On dit que c'est son meilleur. Mais quand j'ai commencé à lire, impossible d'entrer dedans. Les mots ne collaient pas. En arrivant en bas de la page, je me suis rendu compte que je ne me souvenais pas du début. Alors j'ai recommencé, je me suis concentré en faisant attention à lire toutes les lignes, tous les mots, l'un après l'autre, lentement, et puis à michemin, j'ai lâché de nouveau, incapable de contrôler ma pensée. Ça dérapait sans même que je le sache. Alors, j'ai renoncé et je suis resté là, allongé sur mon lit à contempler le plafond sans le voir.

Je pensais à Alex. J'étais impatient de la revoir, plus tard dans la soirée. Elle passait presque tous les jours. J'allais parfois chez elle, mais elle venait plus souvent chez moi. On ne faisait rien, on restait assis à discuter. Je me souviens de la première fois qu'elle est venue, peut-être une semaine après notre rencontre. Je ne savais pas quoi en penser, j'étais dans tous mes états Pourquoi venait-elle ? Qu'est-ce qu'elle voulait ? Est-ce que je lui plaisais ? Que devais-je faire ? Je tremblais de trouille. Mais dès qu'elle s'est assise, j'ai eu l'impression qu'on se connaissait depuis des années. Aucun problème. Aucun malaise. Aucun sous-entendu désagréable. Elle n'avait même pas l'air gênée par papa.

— Il est toujours soûl ? a-t-elle demandé en le voyant entrer dans ma chambre en trébuchant.

Il l'avait regardée, il m'avait adressé un clin d'œil libidineux et puis il était ressorti en vacillant.

— Plus ou moins.

— Le mien, c'était pareil, a-t-elle expliqué sans s'émouvoir. C'est pour ça que maman l'a viré.

Sa mère était actrice. Quinze ans auparavant, elle avait eu un rôle dans un feuilleton qui passait dans la journée. Je ne me souviens plus du titre. Le décor : une boutique de vêtements, ou une usine, je ne sais plus. En tout cas, elle avait joué dedans pendant environ un an.

— À une période, elle était assez connue, m'a raconté Alex. Pas célèbre-célèbre, mais quand même.

– Du genre : mais-comment-c'est-son-nom-déjà ?

– Qui ça ?

J'ai souri.

– D'accord, a-t-elle acquiescé. Dans ce genre-là. Les passants l'abordaient pour lui demander : « Vous passez à la télé, vous ? Vous êtes… non, ne me le dites pas, je l'ai sur le bout de la langue… ne me le dites pas… »

– Et c'était quoi ?

– Quoi ?

– Son nom dans le feuilleton ?

– Shirley Tucker. Une jeune blonde sexy avec un cœur d'or. Maman était obligée de porter une énorme perruque, tu vois, avec plein de maquillage, des jupes courtes et tout le tralala. Elle avait de l'allure. De toute façon, deux ans après ma naissance, Shirley et son petit ami sont morts tragiquement dans un accident de moto… et depuis cette époque, maman n'a pas vraiment réussi à retrouver un travail régulier. Elle décroche encore des petits rôles – dans des théâtres régionaux, des pubs, ou à la télé – mais ça ne suffit pas pour payer le loyer, alors elle a dû redevenir infirmière à mi-temps. Elle déteste ça.

– Pourquoi ils ont tué son personnage ?

– Je ne sais pas… il y a eu un problème… un désaccord avec les producteurs, je ne sais pas. Maman n'aime pas en parler.

Durant les semaines qui ont suivi, nous avons abordé tous les sujets possibles. Alex m'a parlé d'elle, elle m'a raconté où elle était née, ce qu'elle pensait de la vie, ce qu'elle avait envie de faire.

– Je vais être actrice, moi aussi, m'a-t-elle annoncé. Au début, maman était complètement contre, elle n'arrêtait pas de me dire qu'il fallait que je sois avocat. « C'est là qu'il y a de l'argent à se faire, Alex, les avocats pauvres, ça n'existe pas. » Mais une fois qu'elle a compris que j'étais sérieuse, elle a changé d'avis et, maintenant, elle m'aide pour de bon. Elle est géniale, Martyn, tu devrais la voir. Il lui suffit de hausser les sourcils pour devenir quelqu'un d'autre. Elle peut imiter n'importe quoi : la voix, la démarche, l'attitude. Elle est géniale.

J'ai failli demander : si elle est aussi géniale, pourquoi ne trouve-t-elle pas de travail ? Mais je me suis tu. Je n'avais pas envie de gâcher l'ambiance. En plus, j'étais authentiquement impressionné. Même si la gloire de la mère d'Alex était derrière elle, au moins, elle avait fait quelque chose. Mieux vaut avoir été quelque chose autrefois que n'être rien comme papa, au passé, au présent et au futur. Alex était tellement fière de sa mère ! Une idée qui m'était totalement étrangère, je ne pouvais pas m'empêcher d'être impressionné. Ce qui me bluffait le plus chez Alex, c'était son ambition. Elle savait ce qu'elle voulait faire, elle avait un objectif. En plus, elle était douée. Pour être actrice.

– Dis-moi ce que tu veux que je sois et je le fais, m'a-t-elle déclaré un jour.

– Je comprends pas.

– Je peux interpréter ce que tu veux. Une situation, une émotion, une personne, n'importe quoi.

Elle s'est mise à battre des bras d'une façon théâtrale.

– Je suis prête à jouer pour toi, a-t-elle ajouté d'une voix dramatique.

– La colère, ai-je proposé.

– Tu ne peux rien trouver de mieux ? a-t-elle répliqué.

– Bon, je…

La colère s'est envolée et elle a souri.

– Je jouais, Martyn. Je jouais la colère.

– Ouais, ai-je marmonné. Je le savais.

– Non, tu ne le savais pas. Demande-moi autre chose. Une personne.

J'ai réfléchi un petit moment.

– Papa, ai-je proposé en souriant.

– D'accord. Donne-moi une minute.

Elle était assise en tailleur sur le lit. Elle a fermé les yeux, marmonné entre ses dents, puis elle s'est levée brusquement et est sortie de ma chambre. Je pensais qu'elle était allée aux toilettes. C'est alors qu'on a frappé à la porte et j'ai entendu une voix pâteuse :

– Mar'n ! Mar'n ! Descends me faire mon putain de thé !

– Oui, d'accord, papa ! ai-je répondu sans réfléchir.

La porte s'est ouverte et Alex est entrée avec un sourire triomphant.

– Et vite fait ! Que ça te prenne pas toute la putain de journée !

Troublant. Elle parlait exactement comme lui.

– Génial ! Incroyable !

Elle s'est léché le petit doigt pour se lisser le sourcil.

– Ce n'était rien, pas de quoi fouetter un chat.

De l'ambition et du talent… j'étais complètement dépassé.

– Et toi, Martyn ? m'a-t-elle demandé. Qu'est-ce que tu veux faire ? Que veux-tu devenir ?

Je n'y avais jamais réfléchi. Ce qui me tentait ? Faire autre chose. Quelque chose de différent de maintenant. N'importe quoi. Rien de grandiose. Ce que je voulais devenir ? C'est quoi, une question pareille ? Dieu seul le sait.

– Je veux être écrivain. Je vais écrire un livre policier.

C'était la première idée qui m'avait traversé l'esprit.

– Ah bon ?

– Ouais. Ils en tireront une série télévisée et je me ferai un max de pognon.

– J'espère que t'auras un rôle pour moi dedans. Et pour ma mère.

– Le fantôme de Shirley Tucker ?

– Ouais !

– D'accord. Et toi, qui tu veux être ?

Elle a réfléchi un moment avant de répondre.

– La belle maîtresse de l'assassin.

– Pourquoi ?

– Pourquoi pas ? a-t-elle répliqué en haussant les épaules, un sourire aux lèvres.

Nous parlions rarement de Dean. Quelques semaines après le début de leur histoire, alors que je l'avais déjà croisé à la pharmacie, je lui ai demandé pourquoi elle sortait avec lui.

– Pourquoi tu me poses cette question ?

– Eh bien…

– Eh bien quoi ?

– Eh bien… il est un peu nul, non ?

– Hé ! a-t-elle crié hors d'elle, qu'est-ce que t'en sais de comment il est ? Tu l'as rencontré qu'une seule fois ! Merde alors !

– Je ne voulais pas…

– Tu voulais pas quoi ? De quoi tu te mêles, de toute façon ? Pour qui tu te prends ?

Je me suis excusé du mieux que j'ai pu, mais elle n'a rien voulu savoir. Alex a boudé pendant deux jours, elle m'évitait systématiquement et elle ne venait plus sonner à la maison. Je croyais que j'avais tout fichu en l'air. Et puis d'un seul coup, tout a paru oublié. Elle est passée un soir et la situation est redevenue normale, comme s'il n'y avait jamais eu d'accrochage.

N'empêche, depuis cette histoire, on ne parlait plus beaucoup de Dean.

Papa était soûl quand je suis descendu, ce qui n'avait rien d'étonnant. Il l'était tous les soirs. Parfois il sortait, parfois il restait à la maison, mais ça ne changeait rien, il était soûl n'importe où. Il buvait aussi pendant la journée, il carburait à la bière, mais les boissons fortes, il attendait le soir pour s'y mettre. Bière le matin, bière à déjeuner et bière l'après-midi. Ensuite, bière et whisky pour le thé, et enfin, whisky pour le dîner. Un régime équilibré. Il buvait tellement qu'il n'avait même plus besoin de boire pour être soûl.

Le soir, une fois qu'il avait démarré au whisky, sa soûlographie suivait quatre étapes distinctes. Étape numéro 1, la première heure, il jouait les meilleurs potes – il racontait de bonnes blagues, m'ébouriffait les cheveux, me demandait de mes nouvelles, me donnait de l'argent.

– T'as besoin de kek'chose, Marty ? Tiens, v'là un billet de vingt, va t'acheter un livre.

Je déteste qu'on m'appelle Marty. Et je le détestais quand il me donnait de l'argent. De toute façon, il me le réclamait toujours le lendemain. Lorsqu'il était comme ça, à essayer d'être drôle, à jouer les gentils, je crois que je le détestais encore plus. Je le préférais quand il atteignait l'étape numéro 2. Au moins, c'était sincère. Pendant l'étape 2, il s'apitoyait essentiellement sur lui-même. Entre l'étape 1 et l'étape 2, après un intervalle de silence, il se mettait à râler contre la télévision ou un article du journal. Ensuite, petit à petit, il faisait monter la vapeur, dénonçant les injustices du monde, maudissant sa mauvaise étoile, maudissant ci maudissant ça, invectivant maman qui l'avait laissé tomber, maudissant tante Jeanne, « une vraie sorcière », m'attaquant moi, qui l'écrasais de responsabilités, maudissant tout ce qui n'était pas lui, en définitive. Puis, d'un seul coup, il se taisait et, pendant une bonne heure, il restait là avachi dans son fauteuil, à fumer en s'envoyant du whisky derrière la cravate jusqu'à atteindre l'étape 3. L'étape 3 combinait l'incohérence avec un soupçon de violence imprévisible. La violence ne m'inquiétait pas trop, parce que j'avais appris à m'en dépatouiller. Pas si difficile, à vrai dire. Mon père commençait généralement par une question. Il fallait trouver la bonne réponse, ce qui n'était pas toujours évident parce qu'il parlait de façon à peu près incompréhensible.

– Didon, didon, écout', j'fais du mieux qu'j'peux, non ? T'crois k'sé facile ? T'crois k'sé facile ? Moi, j'veux c'kya de mieux pour toi ! Ouais ! Écout'! T' m' crois pas ?

Si je donnais la réponse adaptée, il se contentait de me lorgner pendant une seconde avant de passer à autre chose. Mais si je tombais à côté – en répondant « Quoi ? » par exemple – alors, j'avais toutes les chances de m'en manger une. Mais, comme je l'ai dit, c'était sans gravité. La plupart du temps, il était dans un tel état qu'il me suffisait de faire un pas de côté pour esquiver… La plupart du temps. Je me souviens quand même d'une fois, on était en train de dîner et la cigarette de papa fumait dans le cendrier. La fumée envahissait la pièce, gâchait la nourriture, me piquait les yeux, me donnait envie de tousser. Je n'arrêtais pas de lui demander de l'enlever, mais il restait assis à lire son journal sans me prêter attention, alors finalement j'ai tendu le bras pour la déplacer moi-même – et son poing s'est abattu comme un marteau. Ouille ! Il m'a cassé le poignet. Je ne pouvais pas y croire. Je ne l'avais jamais vu bouger aussi vite. Quand il s'est rendu compte de ce qu'il avait fait et que je devais aller à l'hôpital, il a commencé à s'inquiéter sérieusement.

– C'était un accident, Mart'. Un accident ! Tu leur diras. Un accident.

Il avait peur qu'on nous envoie à nouveau l'assistante sociale. À vrai dire, un peu plus tôt dans l'année, une de mes profs avait remarqué un bleu particulièrement vilain sur mon bras. Elle avait commencé à me poser tout un tas de questions embarrassantes –

« Comment est-ce arrivé ? Tout va bien chez toi ?
Pourquoi es-tu tout le temps aussi fatigué ? ». J'avais
essayé de me débarrasser d'elle, mais elle n'a pas
lâché et, à la fin, l'assistante sociale est venue fourrer
son nez chez nous. Papa tremblait comme une feuille.
Il pensait qu'ils allaient lui couper ses allocations.
Mais quand l'assistante sociale m'a interrogé, je lui
ai expliqué que tout allait bien – ce qui était la vérité,
en un sens – et elle est repartie à peu près satisfaite.
Bien sûr, après, papa a joué les pères parfaits pendant
deux jours – il me souriait, me parlait, essayait d'être
gentil – mais dès qu'il a compris qu'il était tiré d'affaire, il est revenu vite fait à la normale. Dieu merci !
Évidemment, ma situation n'était pas idéale, mais au
moins, avec papa, je savais à quoi m'attendre. Comme
on dit, on sait ce qu'on perd, on sait pas ce qu'on
gagne.

Peut-être tout aurait-il été différent si j'avais raconté
la vérité. Mais je ne l'ai pas fait. Quand je suis allé à
l'hôpital avec mon poignet cassé, j'ai expliqué au
médecin qu'il s'agissait d'un accident, une chute de
vélo.

Quoi qu'il en soit, tel était l'état de papa à l'étape 3
– incohérence et violence imprévisible. À l'étape 4
– la dernière –, il sombrait dans un coma éthylique,
qui pouvait le prendre n'importe où. Dans son fauteuil, par terre, dans la salle de bains, sur les cabinets.
Il restait couché là où il tombait, avec des gros

ronflements pleins de morve, en bavant des trucs dégoûtants qui dégoulinaient. Le plus terrifiant, c'était quand les ronflements s'arrêtaient, il ne bougeait plus, immobile comme un cadavre. Impossible de le réveiller. Une fois, je lui ai versé une casserole d'eau froide sur la tête. Il n'a pas réagi. C'est ce qui m'a poussé à suivre une formation de secouriste à l'école. Pour savoir s'il était mort ou simplement mort soûl.

Ce soir-là, soit j'avais mal évalué la quantité d'alcool qu'il avait ingurgitée, soit il avait sauté directement de l'étape 1 à l'étape 3. À moins qu'il se soit passé quelque chose d'autre. Je ne sais pas. Pour être franc, ça ne me soucie guère.

J'essayais seulement de regarder un épisode de l'inspecteur Morse à la télévision. Est-ce trop demander ? Je n'allume presque jamais la télévision. *Morse*, *A Touch of Frost*, *Wycliffe*, ce genre de choses. *The Bill*, parfois. C'est tout ce que je regarde, c'est ça que j'aime. Les trucs policiers. Les énigmes, les polars. J'adore. Surtout *Morse*. Les livres, je n'en suis pas fan, mais la série télévisée est géniale. Deux heures chaque fois. Génial. Que peut exiger de plus un auteur de polars en herbe ? Deux heures d'intrigues embrouillées, de fausses pistes, de prêtres bizarres, d'assassins terrifiants et ce bon vieux Morse qui finit toujours par tout démêler.

Avec *Morse*, il faut vraiment être attentif. Du début jusqu'à la fin. C'est pas le genre de série à écouter en fond sonore, en jetant un coup d'œil de temps en temps ; il faut se concentrer d'un bout à l'autre. Sinon, on ne comprend absolument rien à ce qui se passe. Et si on comprend rien à l'intrigue, c'est pas la peine de regarder.

Donc, mercredi soir. Huit heures et demie. Dans le salon. Les rideaux étaient tirés. Une lueur orangée, froide, vacillait derrière le faux charbon du poêle électrique. Moi, j'étais par terre, le dos contre le canapé et papa dans son fauteuil, en train de boire. J'ignorais quelle quantité il avait déjà absorbée, mais d'après moi, pas tant que ça, parce qu'il continuait à balancer des blagues idiotes sur Morse, en essayant d'être drôle. Étape 1. Il me dérangeait, mais je ne bougeais pas et j'essayais de l'ignorer dans l'espoir qu'il se lasse et qu'il la ferme ou qu'il descende au pub et qu'il me fiche la paix. Mais il a continué à cracher ses commentaires minables.

– Regarde dans quel état il est ! Il a grossi, non ?

– Les flics conduisent pas des Jags !

– Ça m'étonne pas qu'y soit aussi malheureux, avec cette satanée musique qu'il écoute tout le temps !

Et il n'arrêtait pas. Impossible de me concentrer. Je n'entendais pas ce qui se passait, je perdais le fil de l'intrigue.

Et puis il s'est lancé dans son truc sur Lewis.

Je suppose que vous connaissez Lewis, mais dans le cas contraire, je vous informe qu'il s'agit du bras droit de Morse. Le sergent Lewis. Un sacré bûcheur, qui contraste avec le génie peu conventionnel de Morse. Une ou deux fois par épisode, Morse crie le nom de son adjoint : « Lew-is ! » Un rituel. Pour une raison inexplicable, papa avait toujours trouvé ça désopilant et chaque fois qu'il l'entendait, il se mettait à imiter la voix de Morse : « Le-wis ! Le-wis ! » Et là, il se trouvait tellement spirituel qu'il riait comme un fou. La première fois, ça avait été presque amusant. Presque, mais pas tout à fait. À la centième, j'avais envie de vomir. Pourquoi, mais pourquoi il faisait ça ?

Donc, j'étais assis par terre, penché vers le poste pour essayer de suivre ce qui se passait. Morse était dans son bureau, à sa table ; les sourcils froncés, il réfléchissait en s'efforçant de comprendre qui avait fait le coup. En fond sonore, une musique langoureuse. Brusquement, il s'est redressé en clignant des yeux. Il avait découvert quelque chose. Quelque chose de crucial. Il s'est levé, il a ouvert la porte et il a crié dans le couloir : « Le-wis ! » Alors papa a démarré : « Le-wis ! Le-wis ! Le-wis ! Le-wis ! » Et il hurlait de rire comme si c'était le truc le plus drôle du monde. Sur l'écran, Morse parlait à Lewis, il lui expliquait son idée cruciale, mais je n'entendais rien. Seulement les hurlements déchaînés de papa dans mon oreille : « Le-wis ! Le-wis ! Lewis ! Lew... »

– FERME-LA !

Je m'étais levé pour lui faire face.

– Bon sang, papa, ferme-la ! j'ai répété. Ce n'est pas drôle, c'est minable ! Tu es minable. Si pour une fois tu pouvais fermer ta grande bouche et me laisser regarder la télé !

Il m'a dévisagé, complètement ébahi. J'ai soutenu son regard. Il a posé sa canette de bière sur la table.

– Qu'est-ce que tu as dit ?

– Rien. C'est pas grave.

Ma colère était retombée. Je lui ai tourné le dos.

J'ai senti, plus que je ne l'ai entendu, le mouvement derrière moi et je me suis retourné juste à temps pour le voir foncer sur moi, le poing levé au-dessus de sa tête, une folie d'ivrogne lui brûlant les yeux.

J'ai eu une réaction automatique. J'ai fait un saut de côté et l'impact de son poing m'a loupé d'un cheveu. Emporté par son élan, il m'a dépassé et moi je l'ai poussé dans le dos. Voilà tout, je l'ai poussé. Simplement poussé. Un geste instinctif de défense. Rien de plus. Je ne l'ai pas frappé ni rien. Je l'ai à peine touché. Je suppose qu'il était en équilibre instable. Trop soûl pour rester debout. Les jambes coupées. Je ne sais pas… En tout cas, il a valdingué dans la pièce et s'est cogné la tête contre la cheminée, ensuite il est tombé dans l'âtre et n'a plus bougé. J'entends encore ce bruit. Le bruit de l'os qui s'est brisé sur la pierre.

Je savais qu'il était mort. Je l'ai su tout de suite.

Vous comprenez ce que je veux dire maintenant, à propos de l'intégrale illustrée de Sherlock Holmes ? Si on ne me l'avait pas donnée pour mon anniversaire, si je ne l'avais pas lue, alors je ne me serais pas pris de passion pour les histoires policières. Et si je ne m'étais pas pris de passion pour les histoires policières, alors, je n'aurais pas regardé *Morse* à la télévision. Et si je n'avais pas regardé ce feuilleton, papa n'aurait pas crié « Le-wis ! Le-wis ! Le-wis ! » comme un cinglé, ça ne m'aurait pas dérangé, je ne lui aurais pas dit de la fermer, il n'aurait pas essayé de me défoncer la tête, il ne se serait pas cogné contre la cheminée et il ne serait pas mort.

Mais si on voit les choses sous cet angle, si on suit ce raisonnement, alors tout était sa faute depuis le début. S'il n'avait pas été mon père, s'il n'avait pas engrossé maman, alors je ne serais jamais né. Je n'aurais pas existé. Et lui, il serait toujours vivant. C'était sa faute si j'existais. Je n'ai jamais demandé à naître, pas vrai ? Je n'avais rien à voir là-dedans.

Mais alors, ce n'était pas non plus sa faute s'il était né, lui ?

Je ne sais pas.

Faut-il toujours trouver une raison à tout ?

Je savais qu'il était mort. Je le sentais. L'air dans la pièce, cette atmosphère plate, cette absence de vie.

Je suis demeuré immobile une minute, debout, à regarder fixement devant moi, l'esprit vide, le cœur battant à tout rompre. Étranges, le manque d'émotion, l'absence de spectaculaire dans la réalité. Quand les choses arrivent pour de vrai, une situation extraordinaire, on n'entend ni musique ni *pom-pom-pom-pom* ! Pas de gros plans. Pas de prises de vue dramatiques. Il ne se passe rien. Rien ne s'arrête, le monde continue à tourner. Pendant que je contemplais le corps encombrant de papa étendu devant la cheminée, la télévision bavardait toujours en fond sonore. Des pubs. Des familles heureuses qui dansaient autour d'une table : Ce soir, j'ai envie de poulet, ce soir j'ai envie de poulet… Je me suis penché pour éteindre le poste. Le silence était froid, mortel.

– Mon Dieu ! ai-je chuchoté.

Il fallait que je vérifie. Même si je savais qu'il était mort, je devais m'en assurer. Je me suis accroupi à côté de lui. Une coupure sombre, pas belle, dans l'os juste au-dessus de l'œil. Pas beaucoup de sang. Une égratignure rouge sur le mur, une traînée dans la cheminée, qui séchait déjà. J'ai regardé de plus près. Un mince filet rouge descendait en méandre du coin de sa bouche et venait se perdre dans son menton ombré de noir. J'ai observé son visage sans vie. Il n'y avait pas à s'y tromper. Même si on n'a jamais vu de cadavre, impossible de confondre la mort et la perte de conscience. Une pâleur grise et blême. Dégonflée et sans ressort. Sans essence. Une peau privée d'éclat, rétrécie comme si ce qui constitue la vie – l'esprit, l'âme – en avait été arraché, ne laissant qu'une enveloppe vide. J'ai examiné ses yeux noirs et vitreux et je n'y ai vu qu'un regard aveugle.

– Pauvre salopard, ai-je dit doucement.

J'ai posé doucement le doigt sur son cou. Rien. Pas de pouls. J'ai ouvert les boutons de sa chemise et j'ai posé mon oreille sur sa poitrine, cherchant, sans espoir, les battements de son cœur. Pas le moindre bruit.

Je sais ce que vous pensez. Pourquoi n'ai-je pas téléphoné au 999, pour appeler les urgences ? Ils auraient pu le ranimer. Si quelqu'un cesse de respirer, il n'est pas forcément mort, non ? Pourquoi tu ne lui as pas fait du bouche-à-bouche ? T'as suivi des cours de secourisme, non ? Pourquoi n'as-tu pas tenté de lui sauver la vie ?

Je ne sais pas.

Pourquoi je n'ai pas tenté de lui sauver la vie ?

Je ne sais pas. Je ne sais pas.

D'accord ?

En tout cas, voilà ce qui s'est passé. Faites-en ce que bon vous semble. Ça m'est égal. J'étais là. C'est arrivé comme ça. Je le sais.

Une fois sûr qu'il était mort, je suis allé m'asseoir dans son fauteuil. Une drôle d'idée, parce que je ne l'avais jamais fait jusqu'à présent. Jamais.

Je suis resté longtemps immobile.

Longtemps.

J'imagine que je devais réfléchir. Ou peut-être pas. Je ne sais pas. Je ne m'en souviens pas. Je me souviens seulement d'être resté assis, tout seul dans le silence du soir, enseveli derrière les rideaux tirés, tout seul avec le *tic-tac* indifférent de l'horloge sur la cheminée. Je crois bien que je l'entendais pour la première fois.

La pluie qui tambourinait bruyamment sur les vitres m'a sorti de ma transe. Il était dix heures du soir. Je me suis levé, je me suis frotté les yeux, je suis allé à la fenêtre et j'ai poussé le rideau. Il pleuvait à verse. De grandes nappes de pluie balayaient la rue. J'ai refermé le rideau et je me suis retourné. Il était là. Mon père. Mort. Tordu, étalé dans la cheminée comme une poupée cassée. Les boutons de sa chemise étaient toujours défaits, là où j'avais cherché son cœur. Je me suis accroupi pour les refermer.

Une image m'a soudain traversé l'esprit – un de ces tracés à la craie que la police dessine autour du corps de la victime. J'ai souri, je ne sais pas pourquoi, et j'ai laissé échapper un petit rire étranglé. On aurait dit celui de quelqu'un d'autre, comme l'écho d'un rire dans une ville fantôme.

Je me suis rassis.

Qu'est-ce que tu vas faire ? me suis-je demandé.

Le téléphone attendait sur la table, près de la porte, noir et silencieux. Je savais ce que je devais faire.

Des rafales de pluie poussées par le vent venaient taper contre la vitre. La pièce était froide. Je frissonnais. J'ai enfoncé mes mains tout au fond de mes poches.

J'étais dans un joli pétrin.

Et puis, on a sonné à la porte.

C'était Alex, évidemment. Personne d'autre ne venait jamais chez nous, personne à l'exception des huissiers et des mormons. Et tante Jeanne une fois par an.

J'ai fait entrer Alex, j'ai refermé la porte et je l'ai amenée dans la cuisine. Elle était splendide. Un ruban bleu clair retenait ses cheveux au sommet de son crâne et une ou deux petites mèches noires, trempées, s'en échappaient pour venir caresser la peau pâle de sa nuque. Son visage… Le visage d'Alex. Il était tellement joli. Ravissant. Parfait. Le visage d'une jolie fille. Les dents blanches comme des pastilles de menthe. Elle portait les mêmes vêtements que l'après-midi, à l'arrêt d'autobus – une veste de treillis, un T-shirt blanc et un vieux jean. Elle était trempée jusqu'aux os.

Elle a posé son sac sur la table et s'est essuyé le front.

– Où est ton père ?

– Dans le salon. Tu veux du thé ?

J'ai branché la bouilloire, j'ai sorti les tasses et les sachets pendant qu'Alex s'asseyait en se frottant les bras pour essayer de les réchauffer.

– Il fait un peu froid chez toi, non ?

L'eau s'est mise à bouillir et j'ai rempli nos deux tasses.

– Tu t'es bien amusée ? ai-je demandé.

– Ça allait, a-t-elle répondu avec un haussement d'épaules.

– Vous êtes allés où ?

– Nulle part. Dean devait bricoler des trucs de la boutique, des magnétos, des machins d'ordinateur, je sais pas.

J'ai repêché les sachets de thé et les ai lancés vers la poubelle, mais j'ai mal visé et ils se sont étalés sur le lino. J'ai rajouté du lait dans les tasses.

– Alex ?

– Quoi ?

J'ai posé nos deux tasses sur la table et je me suis assis.

– J'ai un problème.

– Tu n'es pas enceinte, quand même ?

– Non.

– Désolée, a-t-elle dit en cessant de sourire. Qu'est-ce qu'il y a ? C'est grave ?

– Oui.

– Très grave ?

– Très très grave.

– Oh !

– C'est papa.

– Qu'est-ce qu'il y a ?

– Il est mort.

Et je lui ai raconté tout ce qui était arrivé.

Je l'ai emmenée dans le salon. Elle a eu un frisson et s'est essuyé nerveusement la bouche.

– Couvre-le, Martyn.

J'ai trouvé un drap dans le séchoir à linge et j'en ai recouvert le corps.

– Viens ici, a-t-elle dit doucement.

Je me suis avancé vers elle et elle m'a pris dans ses bras. Sa peau sentait la pluie.

Tant que j'étais dans ses bras, plus rien d'autre ne comptait. Rien. Tout allait bien se passer. Sa main douce sur ma nuque, le réconfort de son corps si près du mien... tout le reste sombrait dans le néant. C'était là que je voulais être.

Mais rien ne dure éternellement.

On est revenus dans la cuisine et là, elle m'a regardé. Le brun de ses yeux était moucheté de vert, comme des feuilles minuscules. J'ai dû détourner le regard. Mon thé était froid. Tout était froid.

– Il faut prévenir quelqu'un, a-t-elle déclaré tranquillement.

Au plafond, le tube au néon clignotait en grésillant. Une petite mare s'était formée aux pieds d'Alex, là où les manches de son blouson s'étaient égouttées. La lumière dure et instable s'y reflétait. Cela me gênait. J'aurais voulu éteindre. Rester assis dans le noir. À ne rien faire.

– Martyn, on doit prévenir quelqu'un, a-t-elle répété. Tu ne peux pas rester là sans rien faire. Il faut appeler la police.

– Je peux pas.

– Pourquoi ?

– C'est trop tard.

– Je comprends pas, a-t-elle répondu en fronçant les sourcils. Trop tard pour quoi ?

– Ils sauront.

– Qui ?

– La police. Ils sauront qu'il est mort il y a plus d'une heure. Ils s'en rendront compte. Ils voudront savoir pourquoi j'ai pas téléphoné tout de suite.

– Et alors ? Tu leur expliqueras.

– Je peux pas.

– Pourquoi ?

– J'en sais rien.

– Ah !

Elle a baissé les yeux, un peu gênée, comme si elle se rendait brusquement compte que, chez moi, quelque chose ne tournait pas rond. Elle avait cette expression je-suis-vraiment-embarrassée, le genre d'expression qu'on prend quand un cinglé s'assied à côté de vous dans l'autobus. Mais ça n'a pas duré longtemps. Elle a réfléchi un petit moment, elle s'est essuyé le nez et elle a déclaré :

— Bon, d'accord, mais on va pas t'arrêter simplement parce que tu ne sais pas pourquoi tu n'as pas fait quelque chose, hein ?

— Non, ils se contenteront sans doute de me fourrer à l'asile de fous.

— Fais pas l'idiot.

— Ou dans un foyer.

— Martyn...

— Ils me laisseront pas rester ici.

Et puis soudain, ça m'est tombé dessus brutalement.

— Oh, bon sang ! j'ai crié, tante Jeanne ! Ils vont m'envoyer vivre chez tante Jeanne.

— Mais non.

— Bien sûr que si ! Qu'est-ce qu'ils peuvent faire d'autre ? Nom d'un chien ! Je peux pas vivre avec elle, je la supporte pas, cette bonne femme. Elle est pire que papa.

— Je suis sûre que ce n'est pas si grave que ça.

— Qu'est-ce que t'en sais ? ai-je rétorqué sèchement.

— J'essaye seulement de t'aider, a-t-elle répondu, l'air blessé.

– Oui, je sais… je sais. Je suis désolé. C'est seulement que… je sais pas.

Il pleuvait toujours. La pluie dégoulinait sur les vitres. La neige en mousse à raser avait fondu. Il n'en restait que des traînées sales sur la fenêtre et un résidu blanc et grumeleux qui durcissait sur le rebord. Alex grattait la table avec une cuillère, sans y penser, en se mâchonnant la lèvre et moi, j'étais assis là, perdu dans mes pensées. Exactement le genre de situation « si seulement ». « Si seulement » personne n'était au courant. « Si seulement » j'avais le temps d'y réfléchir. « Si seulement » je pouvais faire disparaître les choses. « Si seulement »…

– Écoute, a calmement déclaré Alex, pourquoi tu ne me laisserais pas appeler la police ? Je leur expliquerai ce qui s'est passé. Je suis sûre que tout ira bien. C'est pas comme s'il se trouvait là depuis des semaines. Ça fait juste une heure. Ils comprendront, ce sont pas des monstres.

J'ai secoué la tête.

– Pourquoi non ?

– Je te l'ai déjà dit, ils voudront savoir pourquoi je ne les ai pas prévenus tout de suite, et moi j'aurai rien à répondre. Ça va les rendre soupçonneux. Ils vont penser que j'ai quelque chose à cacher.

– Oui, mais ce n'est pas le cas, que je sache. C'est un accident.

– Ils n'en savent rien.

– Mais tu ne peux pas laisser les choses comme ça, Martyn. Il faut que tu agisses. Il faut prévenir quelqu'un.

J'ai essayé de réfléchir. J'ai tenté de suivre l'idée jusqu'au bout – si seulement ci, si seulement ça – mais rien à faire. Je ne voyais qu'un trou noir.

– De toute façon, quoi que je fasse, je me retrouve toujours chez tante Jeanne.

– Mais tu ne seras pas obligé d'y vivre éternellement, voyons ! Tu auras bientôt seize ans, tu pourras t'installer tout seul.

– D'ici là, ils m'auront passé la camisole de force.

– Et que crois-tu qu'il va arriver si tu laisses le corps de ton père dans le salon ?

– Je ne sais pas, ai-je répondu en la regardant.

Elle a poussé un profond soupir.

On a continué comme ça toute la soirée. Alex répétait qu'il fallait appeler la police et moi je refusais. Alex demandait pourquoi et moi je répondais que je ne pouvais pas. Pourquoi ? Parce que. Oui, mais. Non. Pourquoi ? Parce que. Oui, mais. Non… À tourner en rond sans jamais s'arrêter. On n'avançait pas d'un poil. À minuit, on était tous les deux trop fatigués pour s'obstiner.

– Discutons-en demain, ai-je fini par proposer.

– Nous sommes déjà demain. Plus tu traînes…

– Je sais. Laisse-moi le temps d'y réfléchir, d'accord ? Demain matin, je prendrai une décision.

Elle a soupiré une fois de plus, puis elle a secoué la tête d'un air las en regardant sa montre.

– Très bien.

Je suis allé regarder par la fenêtre de derrière. Dans l'allée, on avait entassé contre le mur des sacs-poubelle noirs et humides. Les chats en avaient crevé un et l'allée était jonchée de mouchoirs en papier détrempés et d'os de poulet.

– Et pour ce soir ? a demandé Alex. Tu ne peux pas rester ici.

– Je me débrouillerai.

– Tu peux venir chez moi, si tu veux. Je demanderai à maman de te faire un lit dans la chambre d'amis.

– Merci, ai-je dit en verrouillant la porte. Mais ici, je serai très bien.

Nous étions sur le seuil. La pluie avait cessé. Un croissant de lune s'accrochait haut et clair dans le ciel noir. La rue était vide, la chaussée sombre et humide dans la lumière des réverbères. Alex fermait son blouson.

– Tu es sûr de tenir le coup ?

J'ai hoché la tête.

– Il faut que je rentre, a-t-elle dit en enfonçant ses mains dans ses poches. Je reviens demain matin, d'accord ?

Je l'ai regardée traverser la rue pour rentrer chez elle. Rentrer dans son foyer, retrouver sa mère et son lit douillet.

Elle ne s'est pas retournée.
J'ai refermé la porte.
La maison était toujours froide. Silencieuse.
Je suis monté me coucher.

2.

JEUDI

Une petite pièce sans fenêtre éclairée par une ampoule nue. La condensation brille sur les murs de béton. Sur une étagère, deux cassettes jumelles ronronnent dans un gros magnéto noir dont la lumière rouge clignote automatiquement.

Il fait froid, mais j'ai les mains moites.

Assis en face de moi, de l'autre côté de la table, l'inspecteur Morse secoue la tête d'un air impatient.

– Je n'ai pas de temps à perdre, Pig. Qu'as-tu fait du revolver ?

Debout derrière lui, vêtu d'un long manteau et d'une casquette, soutenant d'une main son menton anguleux, Sherlock Holmes me dévisage d'un œil noir. Je détourne le regard et je reporte mon attention sur Morse.

– De quoi parlez-vous ? je lui demande. Quel revolver ?

– Oh allons, Pig ! répond-il d'un ton exaspéré, je sais que tu as tiré sur lui. Holmes le sait aussi. Nous savons tous que tu as tiré.

– Tiré sur qui ? De quoi parlez-vous ?

Il me regarde, les lèvres serrées, et se lève. Sherlock se penche pour lui chuchoter quelque chose dans l'oreille. Morse sourit et se rassoit.

– Où étais-tu à huit heures et demie hier soir ?

– Chez moi. Je regardais la télévision.

– Tu regardais quoi ?

– C'était vous que je regardais.

– Pourquoi as-tu tué ton père ?

– Je ne l'ai pas tué. C'était un accident…

– Alex prétend le contraire.

– Quoi ?

– Alex affirme que tu l'as tué.

– Elle n'était pas là !

– Ça, c'est toi qui le dis.

– C'est la vérité !

– Où étais-tu à huit heures et demie hier soir ?

– Je regardais la télévision.

– Tu regardais quoi ?

– Je vous regardais vous.

– Le-wis !

Tandis qu'il crie, le visage de Morse se transforme de façon sinistre.

– Le-wis ! Le-wis !

Ses cheveux gris argenté foncent, ils sont luisants de brillantine.

– Le-wis ! Le-wis !

Une entaille sombre apparaît sur son front. Il n'arrête plus de crier.

– Le-wis ! Le-wis !

Le sang ruisselle des commissures de ses lèvres.

– Le-wis ! Le-wis ! Le-wis ! Le-wis !

– LA FERME !

Mes cris inutiles m'ont réveillé et je me suis assis dans l'obscurité. Il était quatre heures du matin.

Les rêves, on se les fabrique soi-même. Aucun méchant démon, embusqué quelque part, n'attend qu'on dorme pour s'introduire dans votre cervelle et y faire la démonstration de sa folie. On se fabrique ça tout seul. Dans sa propre tête. Les démons qu'on a là-dedans, on les y a invités. Ce sont des démons personnels. Les siens et ceux de personne d'autre.

J'ignore ce que cela signifie.

Comme je ne parvenais pas à me rendormir, j'ai décidé de prendre un bain. Je me sentais sale. J'avais la peau qui me grattait, j'étais poisseux de sueur. Et puis j'avais mal aux jambes. Le matin, j'ai toujours des douleurs dans les jambes. La croissance, paraît-il.

J'ai fermé la porte de la salle de bains et ouvert les robinets de la baignoire. Je n'ai d'abord eu droit qu'à quelques glouglous, puis l'eau s'est carrément arrêtée de couler avant de se décider à jaillir. Je me suis assis sur le siège des cabinets et j'ai attendu que le bain ait coulé. Mon reflet me contemplait dans le miroir accroché au mur.

– Quoi ? j'ai dit.

La tête en face, reflétée dans la glace embuée, est restée indifférente.

Je voyais un garçon qui n'avait pas l'air en harmonie avec son corps. Mince. Gauche. Empoté. Une tignasse couleur boue, coupe indescriptible, des yeux bleus fatigués, un nez trop petit et une bouche tordue avec des dents légèrement de traviole. Je n'avais rien d'une beauté. Mais je n'étais pas non plus un laideron. Une drôle de dégaine ? Sans doute. Mais quel mal y a-t-il à ça ?

Le bain était presque prêt. J'ai ouvert un flacon de shampooing et j'en ai versé une bonne dose ; j'ai observé la mousse de bulles irisées monter comme une montagne parfumée. Ensuite, j'ai fermé les robinets, je suis entré dans le bain et je suis resté là à mariner, en sueur, dans le silence brûlant de l'eau.

Je n'ai pas bougé jusqu'à ce que ça devienne froid et que la mousse ait disparu. Et après, je suis resté encore.

À réfléchir.

Que pouvais-je faire ? Que fait-on lorsqu'on ne sait pas quoi faire ? On pleure ? On crie ? On s'enfuit ? On s'apitoie sur son sort ?

Il existe toujours une réponse quelque part. Le problème, c'est de la trouver.

Je me suis lavé les dents. J'ai mis des vêtements propres et je me suis séché les cheveux dans une serviette. J'ai nettoyé le lavabo, essuyé les étagères et ouvert la fenêtre pour laisser entrer un peu d'air frais. Il faisait encore nuit. Un oiseau solitaire sifflait quelque part, caché – *cui cui cui*.

– Quel bordel ! ai-je crié.

Je suis descendu.

Tout en jouant avec des miettes de toast et en sirotant du thé, j'ai regardé par la fenêtre le soleil se lever lentement et chasser l'obscurité froide et morte de la nuit. Il n'y avait pas grand-chose à voir, la naissance d'une nouvelle journée de grisaille, mais j'ai regardé quand même. Une fois le jour levé, j'ai jeté un œil à la pendule et vu qu'il était encore tôt.

J'ai refait du thé.

J'avais le sentiment d'attendre quelque chose ; mais je ne savais pas quoi.

Ce qui est arrivé ensuite, j'imagine qu'on peut appeler ça le destin. Si ça existe. Je me souviens qu'une fois, en cours, un de nos profs avait commencé à parler du destin – la destinée, la libre volonté, le déterminisme –, ce genre de chose. C'était M. Smith, le prof d'anglais. « Appelez-moi Brian », il disait toujours, mais personne ne lui a jamais obéi. Son cours était assez bizarre, mais plutôt intéressant. J'ai passé quelques jours plongé dans ce sujet, j'ai emprunté des livres à la bibliothèque, j'ai beaucoup lu, mais je n'ai pas découvert grand-chose parce que ce sujet ne mène en réalité nulle part, étant donné que personne ne connaît les réponses. Il n'y en a pas. En fait, plus on approfondit la question, plus le problème devient confus. Alors j'ai arrêté.

Cependant, un truc qu'a dit un jour Albert Einstein m'est resté en tête. Je l'aime bien, Einstein. Le type avec les cheveux hérissés qui a inventé la relativité. Tout est déterminé, il a dit, le commencement autant que la fin, par des forces sur lesquelles nous n'exerçons aucun contrôle. C'est déterminé autant pour l'insecte que pour l'étoile. Les êtres humains, les légumes ou la poussière cosmique, nous dansons tous au son d'une mélodie mystérieuse, jouée de loin par un joueur de flûte invisible.

J'ai trouvé ça sacrément bien.

En l'occurrence, le facteur a joué le rôle du joueur de flûte invisible.

Il devait être à peu près huit heures quand le courrier a dégringolé dans la boîte. Des factures, des pubs, des catalogues. Papa aimait commander des choses sur catalogue. Du matériel de jardinage, des outils, des stylos, des radios, des réveils Elvis Presley, des chemises, des chapeaux, n'importe quoi. Quand le colis arrivait, il se cachait au premier ; comme ça, le livreur était obligé de laisser le paquet dehors et papa n'avait pas à signer le reçu. Après, mon père se plaignait de n'avoir jamais reçu sa commande et il vendait le truc à ses copains du pub. Même une fois, il a vendu un ordinateur. Et même deux, à bien y réfléchir. Ils en ont envoyé un deuxième quand il a déclaré n'avoir jamais reçu le premier et celui-là aussi, il l'a vendu.

Au milieu de toutes ces cochonneries, une enveloppe adressée à William Pig, Esquire, m'a attiré l'œil. Elle avait l'air officielle. Écrite à la main, d'une écriture penchée comme c'était la mode autrefois, au stylo à encre. J'ai fourré le reste du courrier à la poubelle, je suis revenu dans la cuisine, je me suis assis et j'ai ouvert la lettre.

Cher Mr Pig,
Suite à notre entretien du 1er décembre, je vous écris pour vous confirmer que, selon votre demande, un chèque d'un montant de 30 000 livres a été versé sur votre compte ce matin, représentant le solde du legs que vous a fait, conformément à son testament et à ses dernières volontés, Miss Eileen Pig…

J'ai posé la lettre, j'ai cligné des yeux et je l'ai reprise.

… 30 000 livres… le solde du legs que vous a fait, conformément à son testament et à ses dernières volontés, Miss Eileen Pig…

Un trois suivi de quatre zéros. Trente mille. Trente mille livres. J'ai continué à lire.

– … blablabla n'hésitez pas à nous contacter… blabla… jusqu'à nouvel avis… blablabla… Votre bien dévoué, Malcolm G. Elliott, notaire.

30 000 livres.

Un trois et quatre zéros.

Trente mille livres.

Je ne pouvais pas y croire.

Qui pouvait bien être Eileen Pig ?

Trente mille livres ? Papa n'y avait jamais fait la moindre allusion. Il devait être au courant depuis des siècles. Il n'avait pas l'intention de m'en parler.

J'ai encore examiné la lettre. Elle était datée de mercredi 18 décembre. Hier. Trente mille livres. Versées sur son compte. Et il n'avait pas l'intention de m'en parler. Je ne pouvais vraiment pas y croire. Quelqu'un, une parente, lui léguait trente mille livres – et il gardait ça pour lui. C'était tellement immonde que ça en devenait drôle.

Je suis allé au salon.

– Papa ?

Il n'a pas répondu.

Je lui ai montré la lettre.

– Qu'avais-tu l'intention de faire avec ça ? M'abandonner ? Foutre le camp quelque part tout seul, te soûler à mort sur une plage des Bahamas et me laisser chez tante Jeanne ?

Il a continué à pas répondre.

– Pourquoi tu m'en as pas parlé ? j'ai hurlé.

J'étais au bord des larmes. Ma voix chevrotante a résonné de façon sinistre dans l'air inerte. Je me suis assis en soupirant dans le fauteuil. Le silence était définitif. Papa ne me dirait plus jamais rien. Il n'était qu'une silhouette sous un linceul blanc.

J'ai replié la lettre, je l'ai mise dans ma poche et je suis monté au premier.

La chambre de papa était un vrai bazar. Sous les lanières de papier peint décollé, on apercevait des vieilles couches d'une ignoble peinture jaune. Le sol était jonché de magazines, surtout des canards de fesses et des numéros de *Exchange & Mart*, un journal de trucs d'occasion. Quelques livres de poche aussi – des westerns, des romans à l'eau de rose idiots. Je les ai rassemblés à coups de pied. Le lit – un grand truc haut avec une tête en bois massif – n'était pas fait et puait la crasse. Des morceaux de gâteaux écrasés et des miettes de pain jonchaient le drap du dessous et trois oreillers étaient tassés contre la tête de lit, tout tachés par la brillantine de papa.

Je me suis assis sur le bord du lit et j'ai regardé autour de moi. Ça faisait un bon bout de temps que je n'étais plus entré dans cette chambre ; depuis le départ de maman. Le matin de Noël, j'avais l'habitude d'y venir de bonne heure chercher mes cadeaux. Papa dormait encore, la tête sous les draps, ronflant après ses excès du réveillon, mais maman était réveillée, elle se frottait les yeux et souriait. Je m'asseyais à ses pieds, excité comme un pou, et elle se penchait pour attraper sous le lit des cadeaux enrubannés, emballés dans du papier doré et argenté. Des boîtes, des colis, des paquets, de toutes les formes et de toutes les tailles. Tout pour moi. Des Lego, des Meccano, un ballon de foot, un Scalextric…

C'était vraiment arrivé ?

Difficile à imaginer aujourd'hui.

Sur la table de chevet, traînaient une veilleuse, un paquet de cigarettes, un cendrier et une chope à moitié remplie d'une eau poussiéreuse. Le cendrier puait. Un secrétaire dans un coin de la pièce et, près de la fenêtre, une armoire. Du lit à l'armoire, gisaient des vêtements jetés en tas – des slips, des chaussettes, un pantalon froissé et des chemises. Sous un maillot de corps sale, on apercevait un emballage de hamburger en polystyrène. Avec deux moitiés de petit pain, rassis et oublié, moisi et sans viande.

Je suis allé examiner le secrétaire. Une assiette couverte de nourriture séchée, avec fourchette et couteau, était posée dessus. Des traînées brun orangé m'ont appris qu'il s'agissait de haricots à la tomate torchés avec une tranche de pain. Le secrétaire était fermé à clé. J'ai pris le couteau, je l'ai glissé dans l'abattant et j'ai appuyé. La serrure a cédé. À l'intérieur, une vraie pagaille : des papiers en vrac partout, des lettres, des stylos qui fuyaient, un chéquier replié et une carte de crédit, un cendrier renversé, encore des miettes de gâteaux, un gobelet à whisky, une vieille boîte métallique tout égratignée…

Je me suis assis pour examiner les papiers. Ça ne m'a pas pris longtemps, je n'ai pas trouvé grand-chose – des factures impayées, des vieux trucs d'assurance, des actes de naissance et de mariage, un carnet de santé. J'ai tout mis en pile et je suis passé aux lettres. Une nommée Maeve lui avait écrit. Une annonce découpée dans un magazine pour cœurs solitaires était agrafée en haut : *Femme dans la cinquantaine, sans complexe, mince et séduisante, cherche homme plus jeune, 35-40 ans, pour sortir et danser. Photo appréciée.* La lettre de Maeve remerciait papa de sa proposition, mais la déclinait.

Les autres lettres étaient toutes de Malcolm G. Elliott, notaire, et racontaient l'histoire de Eileen Pig, défunte. Apparemment, il s'agissait de la tante de papa. Elle avait émigré en Australie une quarantaine d'années auparavant et depuis, plus personne n'avait jamais entendu parler d'elle. Elle était morte dans une maison de retraite. Légèrement folle, à en croire ses lettres, ce qui pouvait expliquer pourquoi elle avait légué son argent à papa. Et voilà, fin de l'histoire. Je ne sais pas de quoi je m'étais inquiété, en fait. J'ai rassemblé les lettres avec un élastique, je les ai mises dans un coin et j'ai continué à fouiller. Le chéquier était à moitié plein. J'ai feuilleté les talons, curieux de voir à qui il avait fait des chèques, mais son écriture était illisible. Le seul que j'ai déchiffré, c'était moi qui l'avais écrit : Beer Tente – £7,50. La carte de crédit était encore valable. Le code inscrit au dos, au feutre. Malin, ça, papa.

La boîte en métal contenait des vieilles photos. La plupart représentaient papa quand il était jeune. Dans un pub avec ses copains, les yeux rouges, en train de lever son verre devant l'objectif ; à la plage en compagnie d'une petite amie à l'air bêta ; en train de rire, une cigarette dans le nez. Aucune de moi. Et une seule de maman, une photo de mariage pâlie cachée au fond de la boîte. Papa et maman en train de couper le gâteau. Je l'ai sortie pour l'examiner de plus près. Maman avait l'air nerveuse. Elle était tellement jeune ! Dix-huit ans, je crois. Sa robe de mariée ne tombait pas bien et son voile était tout de traviole, mais elle était quand même jolie. Des cheveux noirs et brillants, un visage pâle, des yeux noirs, un sourire légèrement en biais… elle était magnifique. Papa avait un costume trop serré, le visage à moitié dans l'ombre et les cheveux lissés en arrière, enduits d'assez de graisse pour remplir un tonneau. Il ressemblait à un voyou de l'East End. Autour de lui, on avait fait le vide, comme si personne ne souhaitait l'approcher. Une zone d'exclusion. Même maman s'écartait de lui alors qu'il se penchait vers l'appareil avec un rictus aviné, tout en plantant un grand couteau à découper dans le gâteau de mariage.

Je me sentais bizarre, là, à tenir cette photo, à sentir ce papier lisse et terni, à sonder les profondeurs de cette image. C'est lui, j'ai pensé. C'était papa. Mais tant d'années auparavant. Est-ce encore la même personne ? Et moi, où j'étais à cette époque où je n'existais pas encore ? Qu'est-ce que j'étais ? J'étais rien, rien du tout ? Une chose dénuée d'existence ? Comment était-ce possible ?

J'ai remis la photo dans la boîte et refermé le secrétaire.

Alex est arrivée un peu plus tard, vers dix heures. J'avais eu le temps de faire la vaisselle, nettoyer le sol de la cuisine, débarrasser les canettes de bière que papa avait bues la veille, vider les cendriers, passer l'aspirateur et trier le linge à laver. J'étais assis dans la cuisine lorsque la sonnette a retenti. J'écoutais Radio 4. Enfin, je n'écoutais pas vraiment, mais je préférais ce fond sonore tranquille plutôt que le boucan de la radio locale que j'étais obligé de mettre quand papa était dans les parages.

Alex a jeté un coup d'œil dans le salon, puis elle a détourné le regard. J'ai éteint la radio. Elle a posé son sac sur la table et s'est assise en soupirant.

– C'est ridicule, Martyn. Complètement ridicule. On peut pas continuer comme ça. Il faut que tu appelles la police. Tu peux pas faire comme si rien ne s'était passé.

– Ce n'est pas si simple.

– Oh, allons ! Personne va t'accuser de la mort de ton père. C'était un accident. Tu n'avais rien prévu. La police comprendra ça. Tu n'as qu'à leur raconter la vérité.

Retour à la même rengaine.

– Et comment je vais expliquer qu'il m'a fallu autant de temps pour signaler sa mort ? Ça fait plus de douze heures, maintenant.

– Je ne sais pas, a-t-elle répondu en fronçant les sourcils. Tu t'es affolé, tu ne savais pas quoi faire, tu avais peur…

– Traumatisé, peut-être ? ai-je suggéré.

– Oui, tu étais traumatisé. On fait des choses vraiment bizarres quand on est en état de choc. Tu as vécu une expérience épouvantable. Tu étais trop perturbé pour réfléchir de façon sensée.

– Pendant douze heures ?

– Pourquoi pas ?

– Et toi ? ai-je demandé en la regardant.

– Quoi, moi ?

– Que vas-tu leur dire ?

– De quoi tu parles ?

– Si je préviens la police, ils voudront t'interroger. Ils voudront savoir pourquoi toi, tu ne leur as rien signalé. Ils vont avoir du mal à croire que nous étions tous les deux trop perturbés pour faire quoi que ce soit.

– C'est pas juste ! a-t-elle protesté, les yeux écarquillés.

– Mais c'est vrai, non ? ai-je répliqué en haussant les épaules. Mets-toi à leur place. Il va y avoir une autopsie. Ils sauront que papa est mort entre huit heures et demie et neuf heures hier soir, et ils sauront que tu étais présente…

– Comment ils le sauront ?

– Ils te le demanderont.

– Je pourrais mentir, rétorqua-t-elle en se léchant les lèvres.

– Alors, moi aussi, je devrais mentir.

Elle m'examinait de ses grands yeux bruns. Impossible de savoir ce qu'elle pensait. J'ai jeté un coup d'œil par la fenêtre. Le ciel était sinistre, gris argenté. La couleur des cheveux de l'inspecteur Morse. En repensant à mon rêve, je n'ai pas pu m'empêcher de sourire. Où étiez-vous à huit heures et demie hier soir ? Devant la télévision. Tu regardais quoi ? Je vous regardais, vous.

– Qu'est-ce que tu vas faire, Martyn ?

Je me suis tourné vers elle. Le temps d'un éclair, je ne l'ai pas reconnue, c'était une étrangère. Mais l'illusion s'est dissipée presque tout de suite. Sans doute un effet de la lumière. Elle tripotait nerveusement une mèche de cheveux.

– Que vas-tu faire ? a-t-elle répété. Tu ne peux pas… Que vas-tu faire avec ton père ? Tu peux pas le laisser là où il est… Martyn ?

Je suis venu m'asseoir.

– J'ai réfléchi, lui ai-je déclaré. On pourrait peut-être le mettre simplement quelque part.

– Comment ça ?

– Le mettre quelque part, ai-je répété en haussant les épaules. Où on ne le trouvera pas.

– Le mettre quelque part ? a-t-elle dit en me dévisageant d'un air incrédule. Qu'est-ce que tu racontes ? Le mettre où ?

– Je sais pas. N'importe où. Au fond d'une rivière ou d'un lac, dans les bois. Dans une carrière.

Pendant un petit moment, elle s'est tue, les yeux fixés sur la table. J'attendais.

– Tu plaisantes, n'est-ce pas ? a-t-elle fini par demander. Même si tu le mettais quelque part, quelqu'un finirait forcément par le trouver.

– Probablement.

– Alors, à quoi ça sert ?

– C'est un ivrogne, Alex, ai-je répondu en souriant. C'était un ivrogne. Il partait souvent se soûler plusieurs jours d'affilée.

– Et alors ?

– Et alors, on n'a qu'à se débarrasser du corps n'importe où et puis, dans un ou deux jours, je téléphonerai à la police pour raconter que papa a disparu depuis mercredi. Je dirai juste qu'il est sorti le soir et qu'il n'est jamais rentré. Même s'ils le trouvent, ils ne me soupçonneront pas. Je suis qu'un môme, pas vrai ?

– Alors, il suffit de se débarrasser du corps ? a repris Alex d'un air dubitatif. C'est tout ? Facile comme bonjour. Se débarrasser du corps.

– Pourquoi pas ?

– Tu te rends compte de ce que tu proposes ?

– As-tu une meilleure idée ?

Elle s'est penchée sur la table pour me regarder droit dans les yeux.

– Martyn, appelle la police maintenant. Raconte-leur ce qui s'est passé, contente-toi de leur dire la vérité.

Je sentais le souffle de ses mots sur ma peau, le chuchotement ténu de la douceur.

– Si je dis la vérité, ai-je répondu, il faudra que j'explique tout. Je ne pourrai pas te laisser en dehors. C'est ce que tu souhaites ?

– Non, mais… Je ne sais pas.

– Je ne peux pas appeler la police, ai-je repris en secouant la tête. Pas maintenant. C'est trop tard. Pour nous deux. Et de toute façon…

– Quoi ?

J'ai pris la lettre du notaire dans ma poche et je l'ai posée sur la table. Alex l'a examinée, elle a levé les yeux, puis elle s'est mise à lire. Je suis allé regarder par la fenêtre. Des traînées de nuages jaunes passaient dans le ciel. Comme des mouchoirs sales. J'ai essuyé la paillasse d'un revers de torchon. Cette maison, cet endroit où je vivais, cette rue, cette ville ; je les

75

détestais. Gris-sinistre. Sombre et froid, tout était tassé. Mes voisins résignés à leur sort misérable, à leur existence morne. Je les détestais.

– Trente mille livres, a dit Alex calmement.

Je me suis tourné vers elle, souriant.

Écoutez, il était déjà mort. Je ne pouvais rien y changer. Je n'avais pas souhaité que ça arrive. Je tentais seulement d'en tirer le meilleur parti possible. Je ne lésais personne. Nul n'en souffrirait. On ne peut pas faire de mal aux morts, pas vrai ? Je cherchais à me protéger. Qu'y a-t-il de mal à cela ?

Caché tout au bout d'un étroit sentier de la vieille carrière, de l'autre côté de la ville, il y a un puits profond, rempli d'eau. L'endroit est désert. Personne n'y va jamais. Le pub le plus proche est à un quart d'heure de marche. Un soir, papa a oublié son portefeuille dans ce pub et, le lendemain, il m'a envoyé le récupérer. J'ai dû prendre l'autobus. Pour rentrer, plutôt que d'attendre plus d'une heure, j'ai décidé d'aller à pied. Au bout de huit cents mètres environ, je suis tombé sur un petit chemin. Pensant qu'il s'agissait peut-être d'un raccourci, j'ai escaladé la barrière, mais au bout de quelques minutes, je me suis rendu compte que ce sentier ne menait nulle part, il finissait en cul-de-sac devant ce vieux puits à moitié rempli d'une eau noire et stagnante.

– Tu vois, ai-je expliqué à Alex, même s'ils le trouvent, ils penseront qu'il était au pub, qu'il s'est soûlé, il s'est perdu pour rentrer chez lui, il est tombé dans le trou… et il s'est cogné la tête sur je ne sais quoi en tombant.

Nous étions dans ma chambre, où nous partagions une assiette de sandwichs au fromage. Une lumière d'orage entrait par la fenêtre, éclairant les particules de poussière qui dansaient dans l'air tandis que j'arpentais la pièce.

– Il nous faudra une voiture, ai-je repris. Ou une camionnette.

Alex était silencieuse. Songeuse.

– Celle de ta mère ? ai-je suggéré.

Alex n'avait pas l'âge de conduire, mais il lui arrivait parfois « d'emprunter » la voiture de sa mère. Une de ces vieilles Morris Traveller, couleur marron boueux, qui ne tenait debout que grâce à la crasse et à la rouille.

– Je ne sais pas, a-t-elle dit. Peut-être.

Assise sur le lit, elle était en train de s'enduire les lèvres de pommade. Elle a remis le tube dans son sac et elle a pris un sandwich dans lequel elle a mordu.

– La voiture est au garage jusqu'à demain, m'a-t-elle expliqué.

– Demain soir, alors.

– Elle ne sera peut-être pas prête. S'ils font des grosses réparations, je ne sais pas si maman a de quoi les payer.

– Tu oublies quelque chose, ai-je dit.

– Quoi ?

– J'ai trente mille livres. Je suis riche. Je vais t'acheter une nouvelle voiture.

– Mais l'argent est à la banque, sur le compte de ton père, m'a répliqué Alex en soupirant.

– J'ai son carnet de chèques et sa carte de crédit, ai-je répondu avec un haussement d'épaules. Je suis sûr qu'on va pouvoir se débrouiller.

– J'espère que tu sais ce que tu fais, a-t-elle déclaré en secouant la tête.

– Ne t'inquiète pas, ai-je rétorqué en prenant un sandwich. Alors, pour la voiture ?

– Je ne sais pas. Il faut que je connaisse l'emploi du temps de maman. Vendredi, peut-être samedi. Je te préviendrai.

Nous avons continué à manger en silence. J'aimais bien la regarder manger. Elle prenait des petites bouchées minuscules et mâchait cent mille fois avant de se décider à avaler.

– Quoi ? a-t-elle dit en surprenant mon regard.

– Rien.

Je suis allé aux toilettes. Lorsque je suis revenu, Alex était toujours sur le même sandwich. Dehors, d'épais nuages noirs montaient au loin, se traînant dans le ciel comme des morses qui rampent sur une plage. De l'autre côté de la rue, la voisine du numéro 7 revenait du marché, avançant péniblement, un sac en plastique dans chaque main. Elle avait une soixantaine d'années. Elle portait toujours un rouge à lèvres d'un rose agressif qui débordait sur ses dents, et son regard terne était barbouillé d'une épaisse couche d'ombre à paupières violette. Une fois, papa l'avait ramenée à la maison, parce qu'ils s'étaient retrouvés au pub. Elle était soûle, elle riait comme une hyène à tout ce que disait papa. À un moment, elle s'était mise à danser le cancan, en relevant sa jupe pour montrer sa grande culotte grisâtre…

– Merde !

– Quoi ?

– Tante Jeanne.

– Quoi ?

– Tante Jeanne passe demain, je viens de m'en souvenir.

– Quand ?

– Vers quatre heures.

– Tu peux pas la décommander ? Dire que tu es malade ?

– Elle n'a pas le téléphone… enfin si, elle l'a mais elle ne répond jamais. Elle ne s'en sert que pour appeler. La sonnerie est toujours débranchée.

– Pourquoi ?

– Je ne sais pas… Une de ses petites manies. Elle a sans doute peur de parler à des inconnus.

– Tu n'es pas un inconnu.

– Mais elle ne peut pas savoir que c'est moi. Ça pourrait être n'importe qui.

– Pourquoi tu ne l'appelles pas d'abord pour la prévenir ?

Difficile de dire si elle plaisantait. Elle avait l'air sérieuse, mais elle pouvait très bien jouer la comédie et faire l'idiote pour me piéger et me pousser à réagir. Ça lui arrivait de temps en temps. Alors, quand je cédais à mon impulsion, elle souriait pour me montrer qu'elle avait fait exprès et moi, je me sentais idiot d'avoir pu croire qu'elle était aussi bête…

Je n'étais pas d'humeur pour ces petits jeux.

– Elle ne répond pas au téléphone, ai-je répété.

Point final.

– Écoute, il faut bien faire quelque chose, on peut pas la laisser venir ici avec ton père étendu raide mort dans le salon.

– Non.

Les événements ne se contentent pas d'arriver, pas vrai ? Ils ont des conséquences. Et les conséquences ont d'autres conséquences. Rien n'avance en ligne droite, rien n'est simple.

Penser à tante Jeanne a suffi pour me mettre la rate au court-bouillon. Bon sang, tu te rends compte ! Tu te vois vivre avec elle ? Elle te lâcherait pas une seule minute. Aucun espoir qu'elle accepte tes petites manies. Quelles petites manies ? Tu sais très bien ce que je veux dire. Et Alex, tu peux faire une croix dessus. Une fille, Martyn ? Une fille ? Elle a quel âge ? Pas chez moi.

– Je n'irai pas, ai-je déclaré.

– Quoi ? Où ?

– Chez tante Jeanne. Je n'irai pas là-bas.

– Je croyais que c'était elle qui venait ici, m'a répondu Alex, l'air étonné.

Un autobus est passé dans la rue. L'espace d'un instant, j'ai cru apercevoir Alex sur la banquette arrière. J'ai cru la voir se retourner pour me faire signe en souriant. L'autobus a disparu, j'ai cligné des yeux et j'ai repris conscience de l'endroit où j'étais. Dans cette maison. Dans cette satanée baraque. Je n'étais pas obligé d'y rester, hein ? Je pouvais aller ailleurs. Prendre l'argent et partir. Nous pourrions aller quelque part, Alex et moi. Ensemble. N'importe où. Nous pourrions…

– Il faut que je m'en aille, a annoncé Alex. J'ai rendez-vous avec Dean à deux heures.

Dean, Dean, Dean. Toujours ce satané Dean.

– D'accord, ai-je dit.

– Je vais essayer de trouver une solution…

– Ouais.

– Je repasse plus tard. On parlera encore. Ce soir. D'accord ?

– D'accord.

Après son départ, je suis resté à broyer du noir. Papa commençait à puer. Une odeur de moisi. Le genre d'odeur qu'on n'aime pas mais qu'on peut pas s'empêcher de sentir. Attention, il a toujours pué, même quand il était vivant, alors je ne savais pas très bien si cette odeur de moisi était seulement celle, normale, d'un soûlaud-crade-qui-ne-s'est-pas-lavé-et-qui-a-passé-la-nuit-couché-dans-la-cheminée, ou si c'était le début de quelque chose de pire. De toute façon, je ne pouvais pas y faire grand-chose. J'ai vaporisé dans la pièce une bonne dose de désodorisant, mais ça n'a fait qu'empirer la situation. Toute la maison puait les fleurs pourries. Je ne voulais pas ouvrir les fenêtres, au cas où la puanteur se serait répandue à l'extérieur. Quelqu'un risquait de la remarquer, quelqu'un qui pourrait reconnaître l'odeur d'un cadavre. On ne sait jamais, pas vrai ? Et si un croque-mort passait par là ?

Je suis monté ranger la lettre du notaire dans le secrétaire, avec les autres. J'en ai profité pour prendre la carte de crédit de papa et l'examiner attentivement. Elle avait un hologramme dans l'angle, un petit carré argenté avec une reproduction de Shakespeare en 3D. Enfin, je crois que c'était Shakespeare. Un type chauve avec une barbe et un grand col blanc. On le voyait bouger la tête quand on inclinait la carte. Bizarre. Un tout petit mouvement, et il changeait d'expression. Du bon vieux jovial avec un sourire éblouissant au cinglé vicieux avec un regard d'assassin. Bon vieux jovial – regard d'assassin. Bon vieux jovial – regard d'assassin. Bon vieux jovial – regard d'assassin…

Je me suis lassé au bout d'un moment et j'ai retourné la carte. Le code de papa, c'était 4514.

Morse aurait su en tirer quelque chose.

Il s'est remis à pleuvoir. La pluie ne me dérange pas. À vrai dire, j'aime bien ça. J'aime la façon dont elle tombe du ciel pour mouiller et affoler tout le monde. Je trouve ça drôle. Mais là, il pleuvait des cordes. Ça ruisselait. Ça tambourinait sur la fenêtre. Les rafales ébranlaient les vitres. De plus en plus fort. Avec une telle insistance. Ça tambourinait, ça tambourinait. Fort, tellement tellement fort, on aurait dit des milliers de doigts énervés qui frappaient au carreau.

Insupportable.

J'ai reposé la carte de crédit sur le secrétaire et je suis allé dans ma chambre fermer tous les rideaux. Ensuite, je me suis mis au lit, j'ai remonté la couette par-dessus ma tête et j'ai attendu que la pluie s'arrête.

Je n'espérais voir Alex que tard dans la soirée ; j'ai donc été agréablement surpris d'entendre la sonnette juste après six heures. Même à travers le verre dépoli de la porte d'entrée, elle avait un visage magnifique. Beau jusque dans sa déformation, comme un ange dans une galerie des glaces. Je souriais tout seul en ouvrant la porte – et puis Dean a surgi de derrière le mur, avec un sourire grimaçant, et je me suis figé.

– Salut, Pigman.

J'ai regardé son teint blafard et malsain, ses yeux pochés, sa ridicule queue-de-cheval qui pendait de sa grosse tête idiote. Son blouson de motard, en cuir noir brillant, trop propre, trop neuf, et son pantalon en cuir noir qui faisait des poches aux genoux. Le gros casque noir et brillant dans lequel se reflétaient les lumières de la rue.

J'ai jeté un coup d'œil à Alex. Vêtue, comme Dean, de cuir noir avec un casque intégral à la main. Comment as-tu pu faire ça ? ai-je pensé. Comment as-tu pu ?

– Je suis désolée, Martyn, a-t-elle dit, la tête basse.

Quoi ? Désolée ? Mais qu'est-ce que ça veut dire, désolée ? Désolée de quoi ?

Dean a fait un pas vers la porte et j'ai voulu la refermer.

– Si j'étais toi, je m'abstiendrais, a-t-il menacé.

Le son de sa voix m'a donné la nausée.

– Il sait, a dit Alex.

– Quoi ?

– Il sait, Martyn. Pour ton père.

Quelque chose d'incontrôlable s'est emparé de moi. Un véritable ouragan. Un tourbillon d'émotions indésirables. Elle m'avait trahi ! Elle, Alex ! Elle m'avait trahi. Moi. Peut-on imaginer une chose pareille ? Est-ce seulement possible ?

Dean a sifflé entre ses dents, a secoué la tête et s'est permis un sourire suffisant.

– Incroyable, a-t-il dit. Les gosses de nos jours, vraiment. Plus de respect pour leurs aînés.

Alex me regardait fixement, et ses yeux me suppliaient de comprendre. Et bizarrement, j'ai compris. En un éclair. Elle avait peur. Mais pas de moi. De lui. Elle avait peur de Dean. Nous étions toujours ensemble dans cette histoire. Alex et moi.

Quelque chose en moi s'est déclenché et l'ouragan s'est retiré.

J'ai reculé d'un pas.

– Vous feriez mieux d'entrer.

« C'est ridicule, Martyn. Complètement ridicule… »

Le mini-magnétophone ronronnait tranquillement sur la table de la cuisine. J'écoutais, sidéré, la voix d'Alex.

« On peut pas continuer comme ça. Il faut que tu appelles la police. Tu peux pas faire comme si rien ne s'était passé. »

Et puis le son de ma propre voix, étrangement peu familière.

« Ce n'est pas si simple.

– Oh, allons ! Personne va t'accuser de la mort de ton père. C'était un accident. Tu n'avais rien prévu. La police comprendra ça. Tu n'as qu'à leur raconter la vérité. »

Dean a souri en enfonçant la touche *Avance*. Je fixais, paralysé d'horreur, le minuscule mécanisme du magnéto qui se déroulait. J'ai entendu le frottement d'une allumette et j'ai levé les yeux vers Dean qui allumait une cigarette.

– T'en veux une ? m'a-t-il proposé.

Je n'ai pas répondu. L'odeur de la fumée me faisait penser à papa. Le magnéto est reparti.

« On pourrait peut-être le mettre simplement quelque part.

– Que veux-tu dire ?

– Le mettre quelque part. Où on ne le trouvera pas.

– Le mettre quelque part ? Qu'est-ce que tu racontes ? Le mettre où ?

– Je sais pas. N'importe où. Au fond d'une rivière ou d'un lac, dans les bois. Dans une carrière. »

Un long silence.

« Tu plaisantes, n'est-ce pas ? Même si tu le mettais quelque part, quelqu'un finirait forcément par le trouver.

– Probablement.

– Alors, à quoi ça sert ?

– C'est un ivrogne, Alex. C'était un ivrogne. Il partait souvent se soûler plusieurs jours d'affilée.

– Et alors ?

– Et alors, on n'a qu'à se débarrasser du corps n'importe où et puis, dans un ou deux jours, je téléphonerai à la police pour leur dire que papa a disparu depuis mercredi. Je dirai juste qu'il est sorti le soir et qu'il n'est jamais rentré. Même s'ils le trouvent, ils me soupçonneront pas. Je suis qu'un môme, pas vrai ? »

J'ai tendu la main pour enfoncer le bouton *Stop*.

– La bande n'est pas finie, a dit Dean.

La fumée de cigarette sortait nonchalamment de ses larges narines.

J'ai regardé Alex, debout près de la fenêtre, la tête basse.

– Alex ?

Elle m'a regardé de ses yeux tristes et brillants.

– Il a piégé mon sac.

– Quoi ?

– Un micro. Du Gadget Shop. Il l'a mis dans mon sac. Hier. Il a enregistré notre conversation… tout.

Elle était au bord des larmes.

– Tout ?

Elle a hoché la tête.

Dean a plongé la main dans sa poche pour en sortir un petit appareil électronique qu'il a posé sur la table – du plastique noir, grand comme une pièce de 5 pence, avec une minuscule grille métallisée sur le côté.

– Ce truc a une portée de trois kilomètres et demi, a-t-il expliqué. J'ai relié le récepteur à un magnéto à cassettes.

Il a pris le micro et l'a fait tourner entre ses doigts, avec un sourire satisfait.

– C'est bien, hein ?

– Pourquoi ? lui ai-je demandé.

Il m'a dévisagé. Il avait quelque chose d'inquiétant dans le regard. Un certain déséquilibre.

– Pourquoi ? a-t-il répété. J'étais curieux, voilà tout. Alex et toi, vos douillettes petites conversations nocturnes. Je me demandais ce que vous fabriquiez. Tu comprends ? Tu voulais rien me raconter sur ton petit Pigman, hein Alex ? a-t-il ajouté en se tournant vers elle.

– C'est pas tes oignons, Dean, je t'appartiens pas.

Il a tapoté le magnéto en riant.

– Maintenant, si.

– Qu'est-ce que tu veux ? ai-je demandé.

Il a mis le magnéto dans sa poche, il s'est levé et a pris une bouffée de cigarette.

– Chaque chose en son temps, Piggy.

Il était grand, plus d'un mètre quatre-vingts, mais voûté, comme si sa tête pesait trop lourd. Je l'observais tandis qu'il resserrait sa queue-de-cheval.

– Où est le corps ? a-t-il demandé.

– Dans le salon.

– Montre-le-moi.

Lorsqu'il parlait, le coin de sa bouche se tordait, un tic minuscule, et sa paupière gauche battait en réaction.

Je l'ai emmené dans le salon. Il a désigné d'un signe de tête la forme sous le drap.

– C'est ça ?

– Tu veux le voir ?

– Vas-y, toi. Soulève le drap, m'a-t-il répondu en se frottant la mâchoire avec nervosité.

– T'as peur ?

– Écoute, Pig, a-t-il sifflé en me menaçant de son doigt à l'ongle long. Tu fais ce que je te dis et comme ça, tu pourras peut-être t'en sortir entier. Mais si tu fous le bordel… (Il a tapé sur le magnéto dans sa poche.) Fous le bordel et tu finiras dans la merde. Compris ? Et elle, itou. Dans la merde. Compris ?

Je n'ai rien répondu.

– Soulève le drap.

Je suis allé jusqu'à la cheminée et je me suis penché pour soulever un coin du drap. Un visage, blême et mort, contemplait fixement le plafond. Les cheveux noirs étaient devenus secs et ternes, le brillant de l'huile avait séché, s'était évaporé, avait disparu. Ce n'était plus papa, même plus une personne. Juste quelque chose de mort. J'ai jeté un coup d'œil à Dean. Son teint terreux était encore plus blafard que d'habitude ; mou et cireux. Même papa avait l'air plus sain que lui. En m'accroupissant, j'ai senti un sourire secret se dessiner en moi. Regarde-le bien, ai-je pensé, ce minable. Ce zombie à queue-de-cheval. Des yeux bleus délavés et vitreux, des pupilles noires réduites à presque rien, deux petits trous noirs qui flottent dans un néant aqueux… il ne peut pas me faire de mal. Tu n'as aucune force, aucune pureté. Tout ce que tu possèdes, c'est de la cruauté et une tendance idiote à la duplicité. Ça ne suffit pas, vraiment pas. Tu sais quel est ton problème, Dean ? Tu comprends pas. Tu comprends rien. Tu crois que tout ça est vraiment important ? Tu crois que ça m'intéresse, ce qui arrive ? À moi, aux autres, à n'importe qui. Je suis au courant, moi. Je sais. Rien n'a d'importance. C'est ce qui me rend fort. Ma force se trouve dans l'essence même de ma faiblesse.

Non, ai-je pensé, tu ne peux pas me faire de mal. Mais jouons quand même le jeu.

Je l'ai regardé droit dans les yeux en souriant.

— Couvre-le, a-t-il ordonné.

J'ai regardé papa, puis Dean.

— Je crois que tu lui plais, ai-je dit.

— Couvre-le !

J'ai lâché le drap. Dean est reparti dans la cuisine, me laissant seul dans la pièce. J'ai pris une profonde inspiration et j'ai expiré lentement pour tenter d'absorber ce que j'avais découvert en moi. Un sentiment agréable. Comme si j'avais enfin trouvé mon vrai moi. Je suis allé jusqu'à la fenêtre et j'ai ouvert le rideau pour contempler le ciel nocturne. Aucune étoile ne tombait. Ce soir, le joueur de flûte invisible était tranquille. Dehors, on voyait se balancer les câbles téléphoniques suspendus au-dessus des toits et l'éclat froid de la lune jaune. J'ai hoché la tête : rien de bien grave, les choses telles qu'elles devaient être.

Alex avait pleuré. Les yeux rouges et gonflés, elle déchiquetait un mouchoir en papier, assise à la table de la cuisine. Dean, debout devant l'évier, s'aspergeait le visage d'eau froide.

– Ça va, ai-je dit à Alex.

Elle a relevé la tête.

– C'est vrai, ai-je insisté. Tout va bien. Ne t'inquiète pas.

Dean s'est retourné en s'essuyant le visage avec une serviette de table.

– La ferme, Pig. Assieds-toi.

Je me suis assis. Dean a allumé une cigarette et a soufflé la fumée en biais. En essayant de jouer les durs. Mais en fait, il avait l'air d'un con.

– Je veux l'argent.

Je l'ai regardé droit dans les yeux, attendant la suite. Il m'a rendu mon regard. J'ai jeté un coup d'œil à Alex. Elle a reniflé.

– Je veux l'argent, a répété Dean. Les trente mille.

– Je ne les ai pas.

– Écoute, Pig, a-t-il répliqué, la lèvre retroussée, c'est simple. Tu me donnes l'argent, je te rends la bande. Si tu me donnes pas l'argent, je remets la bande à la police. Pigé ?

– J'ai pigé. Mais je n'ai pas l'argent.

– Me raconte pas de conneries, a-t-il grincé en sortant le magnéto de sa poche.

Il a fait avancer la bande, puis il a enfoncé le bouton *Play*. On a entendu ma voix métallique au milieu d'une phrase.

«... trente mille livres. Je suis riche. Je vais t'acheter une nouvelle voiture.

– Mais l'argent est à la banque, sur le compte de ton père.

– J'ai son carnet de chèques et sa carte de crédit… Je suis sûr qu'on va pouvoir se débrouiller.

– J'espère que tu sais ce que tu fais. »

Clic.

Le visage de Dean s'est fendu d'un sourire suffisant.

– D'accord, ai-je concédé. Mais je ne peux pas tout retirer. Je peux pas…

– C'est ton problème.

– Comment je suis censé…

– Tu m'écoutes pas, Pig. Je veux l'argent. Comment tu l'obtiens, je m'en fiche. T'as vu ça ? a-t-il ajouté en brandissant la mini-cassette.

J'ai hoché la tête.

– Alex ?

Elle l'a regardée en reniflant, les yeux pleins de larmes.

– Cet enregistrement, a-t-il repris en agitant la cassette, vous plongera tous les deux dans la panade. Il gâchera vos vies. Je vous le donne pour trente mille livres.

– Quand ? ai-je demandé.

– Quand quoi ?

– Quand veux-tu l'argent ?

La question l'a pris de court. À dire vrai, moi aussi. Une partie de moi avait le sentiment que je faisais n'importe quoi, mais une autre – dans le tréfonds – dominait la situation. J'étais un passager de mon propre esprit. Passager, conducteur. Tout va bien, disait le conducteur, fais-moi confiance. Je sais ce que je fais. Regarde-le. (J'ai obéi.) Tu vois ? Il est paumé.

Dean essayait de trouver ce qu'il allait répondre en tripotant nerveusement sa queue-de-cheval. Des cheveux blonds et ternes s'en échappaient et tombaient par terre.

– Lundi, a-t-il fini par répondre. Lundi à midi.

– D'accord.

Dean et Alex m'ont dévisagé.

– Mais…, a commencé Alex.

– Tout va bien, l'ai-je interrompue.

– Parfait, a conclu Dean.

– Parfait, ai-je confirmé.

– Lundi.

– Lundi.

– Midi.

– Midi.

– Parfait. Je serai ici lundi à midi.

J'ai hoché la tête.

– Tu ferais mieux d'avoir l'argent.

J'ai hoché à nouveau la tête.

– Parfait, a-t-il encore répété.

Il a jeté son mégot par terre, il l'a écrasé sous sa semelle, puis il a ramassé son casque et s'est dirigé vers la porte. J'ai regardé la cigarette aplatie. Répugnant. Ce type était répugnant.

– Dean ?

– Quoi ?

– Combien de doubles de la bande existe-t-il ?

– Quoi ? a-t-il répété, en s'immobilisant.

– Tu as bien fait des doubles de la bande ?

– Je suis pas idiot.

– Non, ai-je répondu, attentif à l'expression de ses yeux. Tu serais pas venu ici, tout seul, avec l'unique exemplaire, hein ? Ce serait vraiment idiot de ta part.

– J'ai des doubles, t'inquiète, a-t-il rétorqué en tordant la bouche comme s'il s'efforçait de rire.

J'ai regardé par la fenêtre. Dehors, la rue était tranquille et vide, rien ne bougeait. J'ai jeté un œil vers le pot à couverts près de la cuisinière – des cuillères en bois, un presse-purée, une fourchette à rôti, des couteaux à découper. J'ai senti Alex m'observer. Nous avons échangé un regard. L'incertitude se lisait sur son visage. De la peur, peut-être. Ou autre chose ? De la compréhension ? Une suggestion silencieuse ?

– Je veux toutes les copies, ai-je déclaré à Dean.

– Dès que j'ai l'argent, t'auras les bandes.

– Comment je le saurai ?

– Quoi ?

– Comment je saurai que t'as pas gardé de double ?

– Va falloir que tu me fasses confiance, a-t-il répliqué avec un sourire narquois.

J'ai fixé le sol. Les cheveux morts qui jonchaient le linoléum propre. J'avais l'esprit incroyablement clair. Je voyais toutes les possibilités, j'envisageais toutes les probabilités, j'avais calculé toutes les options. Je me sentais vivant, comme si je me retrouvais dans une situation faite sur mesure.

– À plus tard, Dean, ai-je dit en relevant la tête.

Il a hésité, parce qu'il cherchait quelque chose de malin à répondre, mais il n'a rien trouvé. Alors, il a encore reniflé deux trois fois, il a secoué sa queue-de-cheval et il est parti. J'ai regardé Alex, je lui ai souri et ensemble, nous avons écouté le vrombissement nerveux de sa moto quand il a démarré. Nous avons écouté jusqu'à ce que le bruit s'éteigne dans la nuit.

– Salopard ! a chuchoté Alex.

– T'as raison !

– Je suis désolée, Martyn.

– C'est pas ta faute.

– Je savais ce qu'il valait.

– Ben…

– Tu me l'avais dit, a-t-elle ajouté en souriant à moitié.

– T'inquiète !

Elle s'est levée, elle s'est passé les mains dans les cheveux et elle s'est rassise.

– Qu'est-ce qu'on va faire, maintenant ? Ça marche pas. Ton plan fonctionne plus. On peut pas se débarrasser du corps et jouer la surprise quand ils le trouveront.

Plus maintenant, puisque Dean est au courant. Ça marchera plus. Qu'est-ce qu'on va faire ?

J'ai préparé du thé et puis je lui ai expliqué mon plan.

Plus tard, une fois Alex partie, je suis revenu dans la cuisine. Avec une pince à épiler, j'ai soigneusement ramassé les cheveux tombés de la tête de Dean et je les ai mis dans une enveloppe. Puis j'ai cherché le mégot qu'il avait écrasé par terre ; je l'ai trouvé près du pied de la chaise et je l'ai également mis dans l'enveloppe.

En règle générale, je réfléchis énormément dans mon lit. Juste avant de sombrer dans le sommeil, lorsque le silence et l'obscurité de la nuit sont absolus, c'est le moment où je réfléchis le mieux. Pas de bruit, rien à regarder, rien pour se laisser distraire, la réflexion à l'état pur. Mais ce soir-là, même s'il y avait des milliers de choses à envisager, je me suis endormi en quelques minutes. J'ai glissé tranquillement, délicieusement, dans l'oubli du sommeil. Un voyage dans le néant. Les démons que j'avais invités dans ma tête la nuit précédente avaient disparu. Plus rien ne venait me troubler.

J'ai eu une nuit longue et sans rêves.

3.

– Ça me plaît pas, Martyn.

Onze heures du matin. Alex et moi, on était à côté du corps de papa ; on avait enlevé le drap. Ses yeux fixes n'avaient plus rien à voir avec des yeux.

– Pas besoin d'avoir peur, ai-je dit. Imagine-toi qu'il est juste endormi.

– Il n'est pas mort, il dort.

– Quoi ?

– C'est ce qu'on inscrit sur les pierres tombales – il n'est pas mort, il dort.

– Sale formule.

Elle s'est mise à rire nerveusement.

Je me suis accroupi et j'ai soulevé le corps sous les aisselles, pour en évaluer le poids. Lourd. Très lourd.

– Moi, je le prends par ce bout-là et toi par les pieds.

Alex ne bougeait pas et s'essuyait les mains sur son jean.

– Plus vite on le fera, plus vite on en sera débarrassés, ai-je dit.

Elle respirait bruyamment. J'ai attendu. Elle s'est frotté la nuque, elle a regardé de l'autre côté, elle s'est encore essuyé les mains, puis elle a pris une profonde inspiration et elle s'est accroupie.

– Ça risque de prendre du temps, ai-je ajouté.

Je ne m'étais pas trompé.

Papa n'était pas grand, et, mis à part sa brioche et le fait qu'il était flasque, pas bien gros non plus. Mais mort, il pesait une tonne et il nous a fallu une bonne heure pour le hisser dans l'escalier. En plus, il était déjà raide, ses bras et ses jambes n'arrêtaient pas de se coincer dans les barreaux de la rampe, ce qui ne nous facilitait pas la tâche. Mais on a fini par y arriver. On l'a porté, tiré, poussé, soulevé jusqu'à ce que, enfin, on arrive dans sa chambre où on l'a couché sur son lit.

– Du thé ? ai-je proposé en me frottant la nuque.

Alex n'a rien répondu, elle a juste hoché la tête, hors d'haleine.

Par la fenêtre de la cuisine, le paysage n'avait pas changé. Des cieux gris surplombaient les toits des maisons. Des triangles sinistres décorés de cheminées mortes et d'antennes de télévision. Des angles droits. Des gouttières cassées. Des antennes satellite laides et blanches.

– Martyn ?

J'observais le vol courbe d'un corbeau noir qui traversait le ciel matinal.

– Martyn ?

– Quoi ?

– Est-ce que c'est mal ?

J'ai avalé une gorgée de thé. Alex passait, sans y penser, son doigt sur le bord de sa tasse.

– Ça dépend de ce qu'on entend par mal.

– Mal. Immoral.

– Peut-être. Je sais pas. Le mal est quelque chose de relatif.

– Comment ça ?

– Le bien, le mal. Avoir raison, avoir tort. Quelle est la différence ? Qui en décide ?

– Mais ce qu'on est en train de faire… c'est contraire à la loi.

– C'est quoi, la loi ? ai-je répondu avec un haussement d'épaules. Ce n'est que l'opinion de quelqu'un.

Elle s'est tue. Un étourneau est venu se poser sur le rebord de la fenêtre ; il s'est frotté le bec sur le bois. Ses petits yeux noirs et brillants m'ont rendu mon regard. Puis il a penché la tête et il s'est envolé.

– Mais, a repris Alex, il existe des choses vraiment mal. Tu sais, mal. Universellement mal.

– Comme quoi ?

– Je sais pas… le meurtre, le viol, des trucs comme ça.

– Quand quelqu'un fait quelque chose, il ne considère pas que c'est mal. Sinon, il ne le ferait pas, hein ?

– Non, mais…

– Quelque chose est mal uniquement si tu estimes que ça l'est. Si tu penses que c'est bien, et les autres que c'est mal, alors ce n'est mal que si tu te fais pincer.

– C'est vraiment ce que tu penses ? a-t-elle demandé, les sourcils froncés.

– Je sais pas, ai-je répondu en soupirant. Peut-être. Peut-être pas. Je réfléchis à haute voix.

– Ouais, bon…, a-t-elle dit en secouant la tête. Espérons seulement que Dieu n'existe pas.

– Pourquoi ?

– Il nous pardonnerait jamais ce que nous nous apprêtons à faire.

– Sauf s'Il est immoral.

Nous avons encore discuté un moment, pour passer le temps, éviter la réalité, retarder ce qui nous attendait. Sa mère allait passer une audition, m'a-t-elle raconté. Goneril, dans *Le Roi Lear*, une compagnie théâtrale régionale… C'est bien pour elle ?… Mieux que rien… Tu as vu cette émission sur les seiches ?… Tu as un joli sac, il est neuf ?… Tu veux manger quelque chose ?…

Mais la conversation a fini par retomber sur le sujet principal.

– Maman récupère la voiture aujourd'hui.

– Tu pourras l'avoir ce soir ?

– Pas sans qu'elle le sache. Elle sort pas.

– Et demain ?

– Elle travaille l'après-midi mais je crois qu'ensuite, elle sort. Une fête chez des amis. Comme elle va boire, elle prendra pas la voiture.

– À quelle heure elle va rentrer ?

– Tard.

– Alors, on fait ça samedi soir.

– Il me semble.

Nous sommes restés silencieux un moment. C'était une des choses qui me plaisaient chez Alex. Elle comprenait qu'on n'avait pas besoin de bavarder tout le temps, que c'était bien de rester là, tranquilles, à réfléchir ensemble. La plupart des gens, ils passent leur temps à jaspiner sans arrêt, même lorsqu'il n'y a rien à dire. Parler pour le plaisir, cracher des bêtises. Faire du bruit. Le silence, c'est pas bien ? Écouter le silence, c'est magnifique.

Quelque part dans la rue, une voiture a démarré et la musique a jailli de la stéréo. *D-dooooooom-d-dooooooooom-dziiin dziiiin d-doooooooooooooom d-dooooooooom.*

Pas si beau que ça.

À quoi pensait Alex. À moi ? Elle était peut-être en train de se demander à quoi je pensais ? Comment savoir à quoi pensent les autres ? Il m'arrive même d'imaginer que, peut-être, je suis la seule chose qui existe. Que tout le reste n'est là que par rapport à moi. Tout et tout le monde. Tout est fait sur mesure, rien que pour moi. Et quand je suis pas là, alors tout disparaît.

Alex a lâché un petit rot discret.

– Bon, ai-je dit en regardant l'heure. Tante Jeanne arrive à quatre heures. On ferait bien de s'y remettre.

J'ai ôté la veste, la chemise, les chaussures et les chaussettes de papa, j'ai remonté la couette jusqu'à ce qu'elle lui couvre à moitié la tête et je me suis reculé pour voir. La blessure au-dessus de son œil avait l'air bizarre – décolorée, glacée, profonde.

– Alex, as-tu apporté… Qu'est-ce que tu fabriques ?

Elle s'est éloignée de l'armoire grande ouverte.

– Rien du tout. Je rangeais juste ses affaires.

Elle tenait à bout de bras les chaussures de papa.

– Laisse-les là, ai-je dit. Plus ça sera en désordre, plus ça aura l'air naturel. De toute façon, il faudra que je le rhabille.

Elle a souri d'un air embarrassé, refermé la porte de l'armoire et laissé tomber les chaussures par terre.

– Tu as apporté les pansements ?

Elle a sorti de son sac un pansement adhésif qu'elle m'a donné. Je l'ai posé sur la blessure de papa après en avoir enlevé la feuille protectrice.

– C'est comment ?

– Ça me paraît bien, a répondu Alex.

Elle avait la voix tendue. Elle était à cran, fébrile et ses yeux faisaient le tour de la pièce. Rien d'étonnant, à vrai dire. Moi-même, je me sentais assez nerveux.

– Tu es prête ?

L'espace d'un instant, j'ai cru qu'elle allait se dégonfler. Mais elle a hoché la tête d'un air sombre et ouvert son sac. Un de ces vieux sacs à dos, plein de poches et de fermetures Éclair, assez grand pour transporter un cheval de petite taille. Après avoir fouillé dedans pendant une minute, elle a fini par en sortir une trousse de maquillage.

– Pas trop, je lui ai rappelé. Juste ce qu'il faut, tu vois, pour lui donner l'air vivant.

Dans la trousse, elle a pris un petit boîtier en plastique rempli de poudre rose ; elle y a plongé délicatement une brosse souple. Elle s'est léché les lèvres, m'a jeté un regard inquiet et a pris son souffle. Et puis, en marmonnant quelque chose, elle s'est penchée sur le lit et elle s'est mise au travail.

Je l'ai observée tandis qu'elle poudrait ce visage d'une pâleur mortelle. Ses mains tremblaient. Inutile de la regarder pour savoir que ses yeux avaient cette expression de concentration lointaine, que sa langue pointait entre ses lèvres et qu'elle avait les sourcils froncés. La même tête que lorsque nous jouions au Scrabble. Je n'ai pas pu m'empêcher de sourire. Regarde-la. Elle grandit, elle me dépasse maintenant. Et, tu vois, tout en courbes. Regarde-la, dans sa chemise de bûcheron trop grande et son jean noir tout délavé, avec ses drôles de petites chaussures en toile rose, ses doigts fins et ses oreilles ornées de pierres noires. Regarde cette fille. Qui d'autre ferait ça pour toi ? Qui d'autre, hein ?

J'en avais le cœur chaviré.

Quelle activité ridicule ! ai-je pensé, peindre le visage de son père. C'est comme jouer à la poupée. Jouer à faire semblant. Comme les jeux que j'aimais quand j'étais môme. Dans ma chambre, tout seul, à tout imaginer. Martyn le Cow-Boy, errant sans but dans les plaines immenses. Mon cheval et moi, à chevaucher à travers la prairie, à dormir sous les étoiles. Martyn le Vengeur, craint dans tout le royaume. Le redresseur de torts et l'exterminateur des bandits. Martyn l'Assassin, impassible et calculateur, un chasseur. Un tueur. Je ne me revois pas en train de faire quelque chose. Je me contentais d'imaginer. Des combats, des quêtes, des voyages. Je pouvais aller n'importe où. Des mondes imaginaires, un univers qui m'appartenait. Un endroit où plus rien n'avait d'importance puisque rien n'était réel.

Je ne sais pas quand tout cela s'est arrêté. À un certain âge, la réalité vous rattrape par la peau du cou et vous crie en pleine figure : « Hé, réveille-toi, la vie, c'est comme ça ! » Et on est bien obligé d'ouvrir les yeux et de regarder, d'écouter et de sentir : les gens qui ne vous aiment pas, les choses qu'on ne veut pas faire, celles qui font souffrir, celles qui font peur, les questions sans réponse, les sentiments qu'on ne comprend pas, ceux qu'on refuse mais qu'on ne peut pas maîtriser.

La réalité.

On finit par comprendre petit à petit que tous ces trucs qu'on lit – dans les livres, les films, à la télé, dans les magazines, les journaux et les B D – c'est que des conneries. C'est tout fabriqué. Rien ne se passe comme ça. Ce n'est pas réel. Ça n'a aucune signification. La réalité, c'est ce qu'on voit par la vitre de l'autobus : des visages durs, des vies tristes et transitoires, des millions de voitures, du métal, de la brique, du verre, de la pluie, des rires cruels, de la laideur, de la crasse, des mauvaises dents, des pigeons infirmes, des gamins dans leur poussette qui ont déjà oublié comment on sourit…

– Martyn ?

Alex s'était éloignée du lit. Elle était pâle. Je me suis avancé pour examiner le visage de papa. Il avait l'air malade, mais pas mort.

– Parfait, ai-je dit.

– Il va falloir que tu lui fermes les yeux.

J'avais vu ça dans les films. La main tendue – le pouce et l'index en avant – on abaisse doucement les paupières. Je me suis penché :

– Ils restent pas fermés.

– Quoi ?

J'ai essayé à nouveau, en m'y prenant à deux mains, mais lorsque j'ai lâché, les paupières de papa sont remontées lentement.

– Je n'y arrive pas.

– Pourquoi ?

– J'en sais rien.

Alex a jeté un coup d'œil par-dessus mon épaule.
J'ai senti la chaleur de son souffle sur ma nuque.

– Passe-moi ça, ai-je dit en désignant un pantalon
qui traînait par terre.

Alex m'a obéi. En le secouant, j'ai entendu des
pièces de monnaie cliqueter ; j'ai mis la main dans la
poche et j'en ai sorti deux pièces d'une livre.

Une sur chaque œil.

– Ça va mieux.

– N'oublie pas de les enlever quand ta tante arrivera.

J'ai souri. Elle m'a presque rendu mon sourire. Je
me suis reculé d'un pas.

– Qu'est-ce que t'en penses ? ai-je demandé.

– Il a vraiment l'air malade.

– Tu crois qu'elle risque de remarquer qu'il ne res-
pire pas ?

– Ça, je sais pas, a-t-elle répondu en fronçant le nez,
mais à moins qu'elle ait perdu l'odorat, elle remarquera certainement que ça pue.

Je suis allé dans la salle de bains chercher tout un
tas de médicaments dans l'armoire – de l'aspirine, une
bombe de Vicks, des mouchoirs en papier, du sirop et
des bonbons contre la toux. En revenant, j'ai trouvé
Alex debout à côté du secrétaire.

– Ça va pas ? lui ai-je demandé.

– Je me sens un peu barbouillée, c'est tout.

J'ai entassé les médicaments sur la table de chevet puis j'ai vaporisé une tonne de Vicks dans la chambre ; sur la couette et l'oreiller, autour du cou de papa. L'odeur âcre s'est répandue dans toute la pièce, masquant celle, douceâtre et renfermée, de la mort. L'absence de respiration continuait à me tourmenter.

– Quelle heure est-il ?

– Trois heures, m'a répondu Alex en regardant sa montre.

– On pourrait faire un enregistrement, ai-je proposé.

– Quoi ?

– Attends une minute.

Je suis allé dans ma chambre chercher mon magnétophone et le petit micro qui va avec.

– Des bruits de ronflements et de respiration, ai-je expliqué en mettant une cassette vierge dans l'appareil. Tu peux faire ça, Alex ?

– Je ne l'ai jamais entendu dormir, a-t-elle répliqué. Je ne peux pas imiter ce que je ne connais pas.

Alors je lui ai fait une démonstration. J'ai ronflé, reniflé, respiré bruyamment, marmonné.

– Comme ça, sauf avec la voix de papa.

Nous nous sommes entraînés un petit moment. Elle a trouvé le ton presque tout de suite.

– Qu'est-ce que t'en dis ? a-t-elle demandé.

– Parfait, ai-je répondu en souriant. Tu es prête ? ai-je ajouté en lui tendant le micro.

Elle a hoché la tête, elle a pris son souffle et j'ai appuyé sur le bouton *Enregistrement*.

Cinq minutes plus tard, nous avions ce qu'il nous fallait. Le son d'un papa dormant, soufflant, ronflant. Pour plus d'authenticité, Alex avait même ajouté par-ci par-là quelques marmonnements incohérents.

Une fois glissé sous la couette, c'était encore plus convaincant – étouffé, réaliste.

– Et dès la première prise, en plus ! ai-je dit. Tu n'as pas à t'en faire pour tes talents d'actrice.

– Ce n'était pas jouer, a-t-elle répliqué un peu hors d'haleine, c'était seulement respirer.

La chambre de papa avait toujours été immonde. Puante, crasseuse et poisseuse de partout. Assez angoissante, en plus. Comme une grotte, une cachette secrète, une planque. Même lorsque le soleil brillait dehors, c'était toujours froid et sombre. Et là, avec le corps tout préparé – parfumé, maquillé, artificiel – et la lumière de l'après-midi qui filtrait entre les rideaux fermés, particulièrement sinistre. Macabre, à vous donner le frisson, comme si on pénétrait dans un autre monde.

– Viens, ai-je dit. Tirons-nous d'ici.

À la porte, je me suis retourné pour le regarder. Il était là. Il n'était pas mort, il dormait.

Il fallait que ça marche.

Comparée à celle de papa, ma chambre était un palais. Propre, blanche et sans odeur. Chaque chose à sa place. Il était trois heures et demie. Juste le temps de s'accorder un petit repos avant l'arrivée de tante Jeanne. J'ai essayé de me détendre.

– Comment tu te sens ? ai-je demandé à Alex.

– Pas trop bien, à vrai dire, a-t-elle répondu en fouillant dans son sac. Et même… un peu malade. Je crois…

Elle a posé son sac pour se tenir le ventre.

– T'as envie de vomir ?

Elle a hoché la tête.

– Ne t'inquiète pas, ai-je dit en m'avançant vers elle. Ça va aller. Va dans la salle de bains. Viens.

Elle a eu un haut-le-cœur et a porté la main à sa bouche.

– Je suis désolée. J'ai cru que… euh…

– Ne t'en fais pas.

– C'est gênant.

– Ça n'a pas d'importance.

– Mais je ne veux pas… euh… c'est tellement gênant… d'être malade… ça t'embête pas de descendre ?… Je ne veux pas que tu m'entendes… tu sais…

– D'accord. Tu peux fermer la porte. À clé, si tu veux. Je vais au salon. Ne t'inquiète pas, je n'entendrai rien.

Je l'ai amenée dans la salle de bains, j'ai fermé la porte et je suis descendu. Dans le salon, j'ai ouvert les rideaux et j'ai souri en voyant la lumière du soleil y pénétrer pour la première fois depuis… depuis quand ? Depuis mercredi. Deux jours auparavant. J'ai balayé la cheminée, je l'ai nettoyée avec un chiffon humide, je l'ai séchée et ensuite, je l'ai bien frottée partout. Le parfum *Fleurs d'automne* a envahi la pièce, masquant presque l'autre odeur. Presque, pas tout à fait. Les cigarettes, ai-je pensé. L'odeur de tabac, ça serait bien. J'en ai trouvé un paquet sur la cheminée, j'en ai sorti une, je l'ai allumée et je l'ai posée dans le cendrier, pour la laisser brûler. J'ai inspiré profondément – pas mal. Tout allait peut-être bien se passer.

En haut, j'ai entendu des bruits de pas. De l'eau qui coulait. Le rugissement de la chasse d'eau. Alex. Qui vomissait.

Je suis allé regarder par la fenêtre. Et j'ai retrouvé la même vieille journée de grisaille. Un gros jack russell a traversé la rue et est venu pisser sur la roue arrière d'une Fiesta blanche avant de reprendre sa promenade. Deux minutes plus tard, Slobman, le type du haut de la rue, est passé, complètement avachi, une expression d'indifférence abrutie sur le visage. Où allait-il ? Nulle part, sans doute. Il n'allait jamais nulle part. Il ne faisait que glandouiller. On ne pouvait pas lui donner d'âge. Parfois, il avait l'air jeune, parfois la cinquantaine. Avec son vieux manteau râpé et avachi, qu'il portait ouvert, son T-shirt Garfield rentré

dans son pantalon de survêt' sorti directement des surplus de l'armée, ses rares cheveux flottant au vent, il
a tourné le coin de la rue et a disparu.

En bruit de fond, on entendait la circulation sur
la grande artère ; ça bourdonnait, ça fonçait, ça bougeait. Ça bougeait tout le temps. Les voitures, les
automobilistes, tout se déplaçait. Mais la rue elle-
même était calme. Ma rue. Elle partait de l'artère
principale, formant une boucle avant de rejoindre
cette même artère un peu plus loin. Comme la courbe
de la lettre D ; la barre, c'était la grande rue. Voilà
pourquoi le coin est relativement tranquille, ma rue
ne va nulle part.

L'horloge tictaquait. Quatre heures moins le quart.
Allez, Alex. Dépêche-toi. Tante Jeanne ne va pas
tarder à arriver. Encore le bruit de la chasse d'eau.
Une porte qui se ferme. J'ai guetté le bruit de ses pas
dans l'escalier – rien. Allez.

J'ai continué à contempler le vide de cet après-midi.
Des maisons mitoyennes, des portes et des rideaux
défraîchis, des allées, des murs de briques bas et des
poteaux abîmés, des barrières à la peinture écaillée,
des haies dépenaillées – une atmosphère de mort
comme s'il ne se passait jamais rien.

Quatre heures moins dix. De nouveau la chasse
d'eau.

Je suis allé m'asseoir dans un fauteuil. Le fauteuil
de papa. *Mon* fauteuil.

J'ai entendu des pas au-dessus de moi. J'ai levé les yeux. Qu'est-ce qu'elle fabriquait ?

Allez, Alex.

Allez.

À quatre heures moins cinq, je n'en pouvais plus d'attendre. Je suis allé au pied de l'escalier. La porte de la salle de bains était toujours fermée.

– Alex ?

Pas de réponse.

– Alex ! Descends, elle va…

La porte s'est ouverte et Alex a passé la tête – les épaules nues.

– Désolée, a-t-elle dit, j'en ai pour une minute. J'ai vomi sur ma chemise, il a fallu que je nettoie.

Je ne savais plus où poser mon regard.

– Oh ! d'accord… d'accord. C'est seulement que… tu sais…

– J'en ai pour une se…

On a sonné à la porte.

Rien qu'au bruit, je savais que c'était tante Jeanne. Un bruit de terreur. J'ai regardé la porte puis Alex. En dépit de mon soudain affolement, je ne pouvais pas m'empêcher de remarquer à quel point elle paraissait différente. Il n'y avait rien… je veux dire… rien d'incorrect chez elle. À peine une épaule et un bras dénudés. Mais ça lui donnait une allure tellement gracieuse, comme une actrice. Une star de cinéma qui se prépare pour sa grande scène.

– Martyn ! a-t-elle soufflé.

– Reste là-haut ! ai-je chuchoté. Ferme bien et ne fais pas de bruit. Je vais essayer de me débarrasser d'elle le plus vite possible.

La sonnette retentissait de nouveau, exigeant une réponse. J'ai attendu qu'Alex ait refermé la porte, j'ai pris une ou deux inspirations profondes et je suis allé ouvrir. Tante Jeanne – elle-même et en personne. Raide, droite, renfrognée, plantée sur le seuil comme si on l'avait fait attendre mille ans.

– Alors ?

Un pâle soleil d'hiver avait réussi à percer les nuages et brillait faiblement sur le toit des voitures garées de l'autre côté de la rue. Le visage plâtré de tante Jeanne absorbait la lumière comme du papier buvard.

J'ai reculé d'un pas en souriant avec nervosité.

– Merci.

Elle est entrée, dans un bruissement de son manteau marron brillant. Elle était ridicule. Osseuse et la peau tannée, avec des coudes pointus et des jambes arquées, elle ressemblait à un personnage de dessins animés. Une vieille folle.

Elle a enlevé son manteau et me l'a tendu sans même me regarder.

– Papa est malade, ma tante, ai-je expliqué en accrochant son manteau. Il est au lit.

– Malade ? a-t-elle répété en reniflant d'un air méprisant. C'est comme ça qu'il dit, maintenant ?

Elle a passé la bandoulière de son sac sur son épaule et lissé sa robe. Elle portait toujours la même, un truc couleur crème, raide, avec des boutons dorés. Raide à tenir debout tout seul.

– Non, il est vraiment malade, ai-je dit. La grippe, je sais pas, un virus.

Nouveau reniflement. Un bruit de fond de gorge, désinvolte, la totale avec narines palpitantes et lèvre supérieure retroussée. Elle avait des dents extraordinairement petites, comme celles d'un bébé. Petites et carrées. Je m'étais souvent demandé si elles étaient fausses. Elle a pénétré dans le salon et je l'ai suivie, comme quelque absurde rejeton collé à sa mère.

– Beurk ! s'est-elle exclamée. C'est quoi, cette odeur ?

– Les égouts, ai-je bégayé, ils sont en train de réparer les égouts dans la rue.

– Je vois pas de travaux.

– Non, on les a réparés il y a deux jours. Ils ont découvert des tuyaux percés plus haut. Ils n'ont pas dû faire correctement le travail.

– Hmmmm, a-t-elle marmonné.

Puis elle s'est mise à arpenter la pièce, à examiner tous les recoins, à l'affût de la poussière, des canettes de bière, des bouteilles. Je restais là à l'observer, espérant qu'elle était aussi folle qu'elle en avait l'air. Ses cheveux se dressaient sur le sommet de sa tête comme un tampon Jex bleu, totalement rigides et indécoiffables. Pourquoi fait-elle une chose pareille ? ai-je pensé. Elle trouve ça joli ? Comment est-ce au toucher ? Ça ressemble à une brosse en nylon ? À un hérisson ?

– Ça va comment, l'école ?

– Quoi ?

– Ne dis pas « quoi ». Dis « pardon ».

– Pardon ?

– L'école, Martyn. Comment ça se passe à l'école ?

– Ça va, ai-je répondu avec un haussement d'épaules.

– Ça va ? a-t-elle répété. Ça veut dire quoi, ça ?

– Tout va bien, ma tante, ai-je répondu en me frottant la nuque. Merci.

Elle s'est avancée vers moi, s'est arrêtée à quelques centimètres et m'a regardé droit dans les yeux. Elle sentait le citron, l'eau de Javel et un immonde parfum de vieille dame.

– Écoute, Martyn, a-t-elle déclaré de sa voix la plus solennelle, je veux que tu me dises la vérité.

Moi aussi, j'ai scruté son visage, mais j'ai évité son regard. Un long poil noir sortait d'une verrue sur son menton. Les pores de sa peau étaient sales, on aurait dit des petites étoiles bleues.

– Comment vas-tu ? a-t-elle soufflé. Réellement ?

Je me suis léché les lèvres en essayant d'avaler ma salive.

– Bien, ma tante. Vraiment. Je vais bien.

– Et lui ?

Elle disait « lui » comme si c'était le mot le plus grossier de toute la langue.

– Il va bien… il fait ce qu'il peut. Vraiment. Tout va bien, nous allons bien.

Son regard a vrillé le mien pour tenter de lire dans mes pensées, puis elle s'est détournée d'un air dubitatif.

– Où est-il donc ? a-t-elle ajouté d'un ton dédaigneux. Où est le malade ?

Tout en la précédant dans l'escalier, j'avais le cœur battant et l'impression qu'un essaim d'abeilles tournicotait dans mon ventre. Elle n'arrêtait pas de renifler, elle ne disait rien, elle reniflait. *Sniff, sniff, sniff.* Comme un labrador sur la piste d'un os. En passant devant, je n'ai pas pu m'empêcher de regarder la porte de la salle de bains, imaginant Alex à l'intérieur, imaginant…

Nous nous sommes arrêtés devant la chambre de papa.

– Il doit encore dormir, ai-je dit. Il est resté debout presque toute la nuit.

Tante Jeanne a levé les yeux au ciel.

– Il n'a pas fermé l'œil, ai-je expliqué. Il a passé son temps à être malade, à se relever et à se recoucher.

– Ouvre la porte, a-t-elle ordonné en me dévisageant d'un air sceptique.

Dans la vie, on doit parfois faire des choses qu'on n'a vraiment pas envie de faire. Il faut y aller, on n'a pas le choix. Inutile de souhaiter que la situation soit différente, qu'on puisse revenir en arrière, qu'on ait droit à une nouvelle chance. Je me retrouvais donc sur le point d'introduire tante Jeanne auprès de son frère mort, et j'espérais m'en sortir en affirmant qu'il était malade et endormi au fond de son lit. Pas mort, simplement endormi.

Je n'avais pas le choix. Vous comprenez ? Je n'avais pas le choix.

La seule chose à faire lorsqu'on est confronté à ce genre d'épreuve, c'est de se dire : que peut-il arriver de pire ? Et puis on y va.

J'ai ouvert la porte et nous sommes entrés.

– Beurk ! Encore cette odeur. Bon sang de bonsoir !

Sans réagir à sa remarque, je me suis avancé avec précaution dans la pièce sombre et puante.

– Papa ? ai-je chuchoté. Papa ? C'est tante Jeanne.

– Pourquoi fait-il aussi noir ici ? a-t-elle marmonné. Je ne vois pas où je mets les pieds.

– La lumière lui fait mal aux yeux, ai-je expliqué en ôtant prestement les pièces de monnaie des paupières de papa.

Je les avais complètement oubliées. Heureusement, ses yeux ne se sont pas rouverts. J'ai passé la main sous les draps et j'ai enclenché le magnétophone.

On a entendu une respiration lourde et étouffée. Des ronflements. Trop fort. J'ai farfouillé à la recherche du bouton volume et baissé le son.

Tante Jeanne, debout au milieu de la pièce, faisait une moue désapprobatrice.

– Regarde-moi l'état de cette chambre, non mais regarde-moi ça, c'est infect !

En frissonnant, j'ai passé ma main sous la tête de papa. Contact froid et inerte.

– Il dort profondément, ma tante.

– Ah bon ?

Elle s'est approchée du lit, l'air vaguement menaçant. Les ronflements sonores emplissaient la pièce. On n'en avait pas un peu trop fait ? J'ai bougé la tête de papa au rythme de ses ronflements.

Tante Jeanne s'est arrêtée à quelques pas, l'air surpris.

– Oh ! a-t-elle dit.

Elle s'est penchée pour regarder de plus près. J'ai retenu mon souffle

– Il est un peu… décoloré.

– Il ne mange pas grand-chose.

– Qu'est-ce qui lui est arrivé à la tête ?

– Il est rentré dans une porte cette nuit. Il s'est fait une bonne coupure.

Elle s'est avancée encore plus, flairant l'air.

– C'est quoi cette odeur ?

– Il a été un peu… tu sais… il a eu des troubles digestifs.

Je commençais à me demander avec inquiétude si nous avions enregistré suffisamment de ronflements sur la bande. Que faire si ça s'arrêtait ?

Tante Jeanne s'est encore approchée et j'ai senti mon cœur s'emballer.

– Wil-lyam ? Wil-lyam ? a-t-elle appelé en tendant la main.

– Il vaut mieux pas, ma tante. C'est peut-être contagieux.

Elle a retiré sa main aussitôt.

– Il a l'air… il n'a vraiment pas l'air bien, Martyn, a-t-elle déclaré d'un air étonné. As-tu appelé le médecin ?

J'ai failli éclater de rire.

– Demain, ai-je répondu. Le docteur vient demain.

– Ses yeux… Ils sont bizarres…, a-t-elle dit en plissant les paupières dans la semi-obscurité. Il faudrait peut-être que j'appelle le docteur tout de suite.

– Non, non, vraiment… je… je lui ai téléphoné tout à l'heure. C'est sûrement ce virus qui traîne. Apparemment, ça fait des drôles de trucs aux yeux.

– Hmmmm, a-t-elle grommelé.

Le magnétophone commençait à ralentir – les piles devaient être usées. Les ronflements devenaient de plus en plus laborieux et la bande se déroulait en couinant.

– C'est quoi, ce bruit ?

– Les tuyaux, ai-je répondu. Un problème de plomberie.

– L'évacuation, la plomberie, qu'est-ce qui marche dans cette maison ?

La cassette était vraiment au bout du rouleau. On aurait dit les gémissements d'un monstre marin moribond.

– Je crois qu'on ferait bien de descendre maintenant, ai-je proposé. Laissons-le dormir.

Je me suis écarté du lit et j'ai ôté ma main de sous la nuque de papa ; sa tête est partie en arrière et est venue cogner contre le bois.

– Et ça, c'était quoi ? a demandé tante Jeanne.

– Rien. Viens, je vais nous faire du thé, ai-je dit en l'entraînant dehors.

– Tes mains puent, a-t-elle remarqué.

– Le Vicks, ai-je expliqué en poussant un soupir de soulagement silencieux au moment de refermer la porte de la chambre.

J'ai fait du thé et ouvert un paquet de biscuits sablés et on est restés là, la tante et le neveu, assis dans la cuisine, à mâcher, à boire et à bavarder. Du moins, tante Jeanne bavardait. Moi, je me contentais de mâcher, de boire et de contempler fixement la table.

– … et évidemment, quand il avait ton âge, ton père se retrouvait toujours dans les embrouilles – à sécher les cours, à voler, à fumer, à boire. Ah oui, il buvait déjà à cette époque – du cidre, du porto, tout ce qui lui tombait sous la main. Il a transformé la vie de notre pauvre mère en enfer, je t'assure. En enfer. Rien d'étonnant à ce qu'elle n'ait pas tenu le coup. Notre père, ton grand-père, que Dieu le protège, il faisait de son mieux, le malheureux. La discipline, c'est ça qu'il disait toujours, la discipline, ce gamin a besoin de discipline. Et il y avait droit. Papa le battait à mort, mais il refusait de comprendre. Il était incapable de manifester du respect, c'était ça son problème, il respectait pas ses aînés. Pourquoi tu ressembles pas davantage à ta sœur ? qu'on lui disait. On était le jour et la nuit, nous, le jour et la nuit. Je sais pas. Il était encombrant, voilà la vérité, il encombrait la famille. Je me souviens une fois…

Pendant qu'elle jacassait, je me demandais comment elle se serait conduite si elle avait su qu'il était mort. Jacasse, jacasse, jacasse… mais regardez-moi ça, sa bouche arrête pas de remuer. Quelle vision ! Ah, elle a des miettes de gâteau collées sur la lèvre ! Et patati et patata… Ton père ci, ton père ça. Et que ça continue. Combien de fois j'avais déjà entendu ces histoires? Pourquoi ces reproches, de toute façon ? Aucun de nous n'a la maîtrise de ce qu'il fait. Si on est gentil, on est gentil, si on est méchant, on est méchant. Un point c'est tout. On peut pas changer la façon dont on est fait. Et même si on pouvait, ça serait pas à chacun d'en décider. C'est les gènes. Tout est dans les gènes, l'ADN. Demander à quelqu'un de changer son comportement, autant demander à une pierre de changer de couleur. C'est pas plus compliqué que ça.

On reproche pas à une pierre d'être couleur pierre, non ? On lui dit pas : « Allez, la pierre, fais un effort, si tu te donnes du mal, tu peux devenir bleu clair. » Non, on est ce qu'on est et personne n'y peut rien. Prenez tante Jeanne, par exemple, ce n'est pas sa faute si elle a tout du dragon femelle, avec ses cheveux bleus et ses jambes arquées. Elle peut pas faire autrement. Évidemment, je ne suis pas obligé de l'aimer pour autant, mais je n'ai pas non plus le droit de la juger. D'ailleurs, il n'y a rien que j'aie le droit de juger – ni les mouches, ni les rats, ni les ténias, rien. On peut quand même pas reprocher à une mouche d'être une bestiole vrombissante et sale, non ? C'est ce qu'elle est, elle n'a rien choisi. Personne ne lui a demandé, et toi tu voudrais être quoi ? Un poney ? Une fleur ? Une religieuse ? Ou bien une petite mouche bien sale ? Elle n'a pas le choix. Et nous non plus, nous n'avons pas le choix. On prend ce qu'on nous donne. Si ça te plaît pas, c'est le même prix.

– … a gâché la vie de ta malheureuse mère et il gâchera la tienne aussi si tu ne fais pas attention. Martyn ? Martyn ? Tu m'écoutes ?

– Oui, ma tante, je t'écoute. Encore un peu de thé ?

– Mon Dieu, s'est-elle écriée en regardant la pendule, c'est l'heure ? Il faut que je m'en aille.

Elle s'est levée en lissant les plis souples comme de l'acier de sa robe.

– Je vais te chercher ton manteau, ai-je proposé.

– Une minute, il faut que je m'isole un instant.

– Qu… ? Pardon ?

– Que je m'isole.

Aux toilettes !

– C'est en dérangement, ma tante.

– Ne sois pas ridicule.

– Un problème de plomberie.

Elle m'a gratifié d'un reniflement plein de mépris et s'est dirigée vers l'escalier. J'ai couru derrière elle.

– Ma tante ! Non, tu ne peux pas y aller. Ça ne marche pas. Je t'assure. Le réservoir est cassé.

Mais elle était déjà au milieu de l'escalier et n'allait pas s'arrêter en si bon chemin. Il ne me restait plus qu'à tenter de prévenir Alex.

– Ma tante, tu ne peux pas utiliser les toilettes ! ai-je crié. Tu ne peux pas aller aux TOILETTES !

Arrivée sur le palier, elle s'est retournée pour me regarder comme si j'étais devenu fou. Je ne savais plus quoi tenter, alors j'ai fait un sourire idiot et haussé les épaules. Elle a secoué la tête en ouvrant la porte de la salle de bains.

Que pouvais-je faire ?

Le souffle coupé, j'ai attendu le hurlement. Mon cœur battait comme une grosse caisse – *doum doum doum*. Une seconde, cinq secondes, dix secondes… rien. J'ai recommencé à respirer. Au bout d'une ou deux minutes, j'ai entendu la chasse d'eau et un bruit de robinet. Puis la porte s'est ouverte et tante Jeanne est sortie, son sac à la main. Elle m'a regardé. Je me tenais debout, raide comme un piquet, au pied de l'escalier, cramponné à la rampe à deux mains et je la contemplais, les yeux écarquillés.

— Mais qu'est-ce que tu fabriques ?

— Rien, ai-je répondu, soulagé. Je vais te chercher ton manteau.

— Mais pourquoi tu as fait tout ce cinéma ? a-t-elle demandé en descendant l'escalier. Des problèmes de plomberie ? Le réservoir cassé ? Tout va bien là-haut.

— J'ai oublié, ai-je répondu. On a réparé. Le plombier est passé quand j'étais sorti. Voilà ton manteau.

Je l'ai aidée à enfiler son manteau.

— Je m'inquiète pour toi, Martyn. Sérieusement. Tu n'es pas en meilleur état que ton père. Tu as une mémoire épouvantable. Rien d'étonnant à ce que ton travail scolaire en pâtisse.

Mon travail scolaire ? En pâtir ?

— Je suis juste un peu fatigué, ma tante. S'occuper de papa quand il est malade, tu sais…

— Il faut que quelqu'un prenne cette maison en main, a-t-elle dit en remontant son manteau. Ça pue ici.

— Je vais faire un bon ménage.

— Oui, bon… Il n'y a pas que la maison qui aurait besoin d'être nettoyée.

– Merci d'être venue, ma tante, ai-je déclaré en ouvrant la porte. Je dirai à papa que tu es passée et il sera désolé de t'avoir manquée.

– Ça, j'en doute pas.

– Il va encore pleuvoir, ai-je répondu en observant le ciel.

– Hmmmmm, a-t-elle répondu. Je reviendrai bientôt. Préviens ton père que je reviendrai bientôt.

Elle a sorti ses gants et s'est dirigée vers la rue.

– Je n'y manquerai pas, ma tante. Rentre bien.

Elle n'a pas dit au revoir, merci pour le thé, ni rien du tout, elle s'est éloignée avec ses bonnes chaussures confortables qui martelaient le trottoir. Je l'ai regardée tourner le coin de la rue, j'ai vérifié qu'elle ne faisait pas demi-tour, puis, après avoir refermé la porte, je me suis effondré par terre en poussant un énorme soupir. Je me sentais épuisé.

– Elle est partie ?

Alex était en haut de l'escalier, rhabillée.

– Elle est partie.

– C'était moins une…

– Mais où étais-tu ?

– Dans la salle de bains.

– Ça, je le sais. Mais pourquoi elle ne t'a pas vue ? ai-je demandé en me relevant.

– J'avais deviné qu'elle allait vouloir pisser, alors je me suis cachée derrière le rideau de douche.

– Bien joué, ai-je dit en souriant.

– Je ne suis pas seulement jolie, tu sais.

Elle avait raison.

– J'ai bien failli me trahir. T'aurais entendu les bruits qu'elle faisait, un vrai ballon en train de se dégonfler.

Nous avons tous les deux éclaté de rire quand elle a imité le bruit des pets de tante Jeanne.

– J'ai été obligée de me coller un gant de toilette dans la bouche pour m'empêcher de rire. J'ai cru mourir, a repris Alex.

– Je lui en parlerai la prochaine fois que je la verrai, ai-je promis. Tu te sens bien maintenant ? Tu as meilleure mine.

Alex est descendue en passant la bandoulière de son sac sur son épaule.

– Oui, je vais mieux, a-t-elle répondu. Désolée.

– Il n'y a pas de mal.

– Non, a-t-elle dit en souriant. Mais ça a bien failli.

– Ça a bien failli.

– Qu'est-ce qu'elle aurait fait si elle m'avait vue ?

– Elle aurait explosé, sans aucun doute.

Début de soirée. Alex était rentrée chez elle. J'étais seul dans ma chambre. Allongé sur mon lit, les yeux fermés, j'essayais de me reposer mais je n'y arrivais pas. Trop de choses tourbillonnaient dans ma tête.

Je me suis levé pour regarder par la fenêtre. Dans cette nuit d'hiver sombre et tranquille, les faisceaux de lumière orange des réverbères illuminaient le décor terne de mon univers : les voitures garées, les trottoirs défoncés et décorés de crottes de chien, les mauvaises herbes rachitiques qu'on trouve dans les villes, au creux des lézardes béantes des murs de briques sales. Dans l'obscurité, ces plantes n'avaient pas de couleur.

Où part la couleur ?

Au loin, j'apercevais l'alignement irrégulier de milliers de maisons, toutes identiques. De pâles lueurs jaunes clignotaient aux fenêtres. Dans chaque foyer, se déroulait une histoire : un drame familial, une tragédie, un roman d'amour, une comédie. En ce moment précisément, des scènes se jouaient, des intrigues se nouaient, des récits se tramaient. Bagarres, discussions, sexe, trahison, vengeance, ennui, ruse, méchanceté, déveine, rire, désir, délice, mort...

Qu'est-ce que ça pouvait bien me faire ? Rien de tout ça ne me concernait.

Dans la rue, deux gamins au crâne rasé avançaient d'un pas chancelant, en vidant leur canette de bière. Leurs voix fortes résonnaient dans le silence, un bruit assourdi, primal : putainfautkjtedise... jvaistdire... putaintesmort... un regard vide et bestial, à la recherche de quelque chose, de n'importe quoi, de rien du tout. L'un d'eux a craché entre ses dents en passant sous la fenêtre, puis ils ont disparu.

L'alcool, sur un visage, aspire tout ce qui ressemble à la vie pour le remplacer par le lustre de la bêtise abrutie. À chacun de choisir. Si on veut se perdre soi-même, y'a qu'à boire un coup.

Ce quartier, par exemple. Ces maisons sordides, ces petites rues crades, ce ciel mort. Rien. Pas de vie, rien qui bouge. Trop de gens qui n'ont rien à dire, rien à faire et nulle part où aller. Des âmes grises. Qui attendent que tout ça se termine. Voilà, c'est ça que j'ai, moi. Cet endroit où des choses infimes comptent infiniment pour des gens minuscules. Où rien ne rime à rien, où on mange, on boit, on se reproduit, on vieillit et on meurt. Voilà ce qu'on a. Un nouveau millénaire. L'Ère de la Technologie. Le résultat de millions d'années d'évolution. Moi, tout seul, dans une sale petite baraque, une sale petite rue, une sale petite ville.

J'ai fermé les rideaux, j'ai éteint la lumière et je me suis allongé dans l'obscurité.

J'ai pensé à Alex, à Dean et aux trente mille livres. C'était mon argent. Mon héritage. Mon bien légitime. À moi. Personne n'allait me le prendre. Sans savoir précisément comment j'allais le récupérer, ni ce que j'avais l'intention d'en faire, j'y réfléchissais. D'après Alex, impossible de retirer un chèque avant mardi. Avec la carte de crédit, je pouvais prendre deux cent cinquante livres par jour. Trente mille divisé par deux cent cinquante, ça fait… plein de jours. De combien de jours est-ce que je disposais ? De combien de semaines ?

Que se passerait-il si… ? Trop de questions. Pense à autre chose. J'ai réfléchi à tout ce que nous allions faire, Alex et moi. Jeunes et riches. Libres. Libres à nous d'aller n'importe où, de faire n'importe quoi. Je monterais ma propre agence de détectives privés – Alex et moi, les privés mènent l'enquête. Nous louerions un de ces bureaux miteux dans un quartier louche de la ville, avec une table, des armoires pour les dossiers, un de ces gros ventilateurs lents accroché au plafond, des stores vénitiens, une salle d'attente pour les clients, une porte vitrée avec un carreau en verre fumé sur lequel serait écrit à la peinture noire écaillée : *Martyn Pig – Enquêtes*. Ce serait bien. Alex ferait le chauffeur, je lui offrirais une voiture de sport… À moins que j'achète une petite île ? Pile au milieu de la mer pour qu'elle soit inaccessible. Nous pourrions vivre là, devenir amis avec les animaux, construire une petite cabane et passer nos journées à bavarder en se promenant sur la plage. Le soir venu, nous allumerions un feu en regardant le soleil descendre sur la mer, en écoutant le bruit des vagues qui s'écrasent doucement sur le rivage… Ou nous pourrions aller en Australie, ou en Amérique, trouver quelque endroit éloigné dans le désert, là où jadis vivaient les Indiens. L'oued, des kilomètres et des kilomètres de rien. Une terre brûlante et sèche, des sables mouvants, des montagnes rouges et pointues, des canyons, des villes fantômes. Nous pourrions chevaucher…

J'ai glissé dans un sommeil superficiel et mes pensées se sont atomisées en rêves fragiles. Des bribes d'images voletaient dans ma tête : papa, maman, Alex, Dean, Morse, Holmes, tante Jeanne, les détectives, les îles, les déserts, les chevaux… tout se mettait à tourner ensemble, flottant dans un tourbillon insensé. Tandis que je somnolais dans l'obscurité des rideaux tirés, des bruits isolés venus de la rue entraient et sortaient de cette demi-conscience, se mêlant à mes pensées incohérentes, tissant les rêves avec la réalité.

Quand je me suis réveillé, j'avais la bouche sèche et les yeux collants de sommeil. Il était neuf heures du soir. Je me sentais encore fatigué.

Je ne savais pas quoi faire.

Pour le moment, il n'y avait plus qu'à attendre.

Je suis allé pisser dans la salle de bains. Je me suis lavé les mains et la figure. Je me suis brossé les dents pour tenter de me débarrasser de cette bouche pâteuse. J'ai changé de vêtements, j'ai mis un T-shirt propre, du linge de corps propre, un jean propre. Je suis descendu me préparer un sandwich au fromage et une tasse de thé. J'ai regardé la télévision. Une série américaine policière, dont j'ignore le titre. Le type de *Deux flics à Miami* jouait dedans, le blond, il faisait des blagues et il poursuivait les bandits dans les ruelles avec un gros pistolet à la main. C'était bien. Une fois l'épisode terminé, j'ai changé de chaîne et j'ai regardé des comiques faire leur numéro en solo, enchaînant les grossièretés et les blagues salaces pendant une demi-heure. C'était pas drôle. À onze heures, j'ai éteint le poste et je suis resté dans le noir à écouter le bruit que faisaient les ivrognes du vendredi soir en rentrant chez eux – des cris mal articulés, des rires froids, des crissements de pneus, des portières qui claquent. Je n'ai pas bougé jusqu'aux petites heures du matin ; le silence est devenu complet, et alors là, j'ai écouté. J'ai écouté les bruits qui me racontaient l'histoire de cette maison. Ils devaient bien être quelque part, cachés dans les murs, dans les briques, sous les planchers. Les souvenirs. Mais je n'ai rien entendu.

Deux heures. Dans la cuisine, j'ai lavé mon assiette et ma tasse, j'ai éteint la lumière, j'ai verrouillé les portes et je suis monté. J'ai pissé à nouveau, je me suis encore lavé, je me suis encore brossé les dents. Dans la chambre, je me suis déshabillé, je me suis mis au lit et je me suis endormi.

Encore une journée de passée.

4.

SAMEDI

Le matin est arrivé, froid, triste et lourd. J'ai ouvert les rideaux de la chambre pour contempler les couleurs de la journée. Gris, brun. Brun, gris. Noir. Vert mort. Les mauvaises herbes sur le mur avaient retrouvé leur couleur. Des tiges vert mort qui ployaient sous le poids du gel.

Une porte a claqué et le jeune couple d'à côté s'est traîné dehors, suivi de leurs gamins morveux. Le père a lancé son mégot dans le caniveau, a redressé le chapeau de Père Noël rouge vif ridiculement planté sur sa tête et a braqué ses clés à télécommande sur sa voiture. Les phares se sont mis à clignoter, l'alarme s'est mise en marche – *ouiiiouiiouiiouiiiouiii* – puis s'est arrêtée.

Pourquoi tout devait-il être bruyant ?

Un des gosses pleurnichait en tirant sur la ceinture de son père. Mais le père ne voulait rien savoir.

– Monte dans la voiture et ferme-la, a-t-il grondé.

Sa femme a toussé, elle s'est planté une cigarette dans le bec, elle est montée et elle a claqué la portière.

La voiture a démarré en rugissant et ils ont quitté la rue à toute vitesse.

Joyeux Noël !

La sonnerie brutale du téléphone, en bas, m'a fait sursauter. Un gros mot m'a échappé, j'ai chassé d'une pichenette le thé chaud qui s'était renversé sur ma manche et j'ai décroché.

– Allô ?

– Martyn ?

– Alex. Tu m'as fait peur.

– Quoi ?

– La sonnerie du téléphone… c'est pas grave. Qu'est-ce que tu fabriques ?

– Il faut que j'aille faire des courses.

– Quand ?

– Maintenant. Maman va chez Sainsbury's. Elle veut que je l'aide.

– D'accord.

– Je crois que ça ira, ensuite, tu sais…, a-t-elle dit en baissant la voix.

– La voiture ?

– Oui.

– Très bien.

– Tu as besoin de quelque chose ?

C'est quoi, cette question ? ai-je pensé. J'ai besoin de millions de choses. Je n'ai besoin de rien.

– Dans quel genre ?

– N'importe. De la nourriture, du pain, du lait, je ne sais pas.

– Non, tout va bien, merci.

– D'accord.

J'ai entendu la voix de sa mère qui lui demandait de se dépêcher.

– Il faut que j'y aille, à plus tard, a-t-elle ajouté en raccrochant.

J'avais besoin de sortir de la maison, ça oui. Il fallait que je me remplisse les poumons d'air frais, d'un air qui ne soit pas empuanti par les miasmes de la mort.

Mais où aller ?

Dans le coin, il n'y a nulle part où aller, pas un seul endroit qui ne soit plein de bruit et de fureur.

En ville ? Dans le parc, au bord de la rivière ?

La ville grouillerait de gens venus faire leurs courses de Noël, dans le parc, ça pue… et même la rivière ne vaut pas un clou. Un bouillon gras et brun le long duquel s'alignent des pêcheurs durs à cuire dans leurs fringues surplus de l'armée, qui pêchent négligemment en buvant de la bière et vous chassent à coups de regards menaçants.

Il devait bien exister quelque part un endroit à peu près potable.

Et la plage ?

La plage ?

Pourquoi pas ? Il n'y aura personne là-bas, ce sera vide. Froid, vaste, ouvert à tous les vents et désert…

Oui. La plage.

J'ai commencé à fouiller la maison à la recherche d'argent pour le ticket d'autobus. Une livre ici, 50 pence là. Puis je me suis souvenu de l'argent dans la chambre de papa, les pièces que j'avais posées sur ses paupières et je suis allé les récupérer, celles-là aussi. Là-haut, ça puait vraiment fort. Une odeur épaisse et toxique comme du gaz, du soufre. Je me suis couvert le nez et la bouche avec un mouchoir et j'ai fouillé vite fait les poches du pantalon de papa, ce qui m'a rapporté encore deux livres en petite monnaie. Amplement suffisant. J'ai empoché le tout et je suis sorti de la chambre avant d'être malade.

La plage se trouve à une vingtaine de kilomètres de chez moi, une demi-heure de bus. Il s'agit en réalité d'une île. Pas bien grande. Un kilomètre et demi de long sur huit cents mètres de large. On ne croirait pas que c'est une île, mais pourtant, c'est le cas. Une longue route droite traverse de vastes étendues de limon boueux. Le limon, c'est l'estuaire, donc en fait la route est un pont, mais on ne s'en rend pas compte. Sauf à marée haute, quand la vase est recouverte par une mer gris triste qui engloutit lentement la surface de la route et que plus rien ne passe jusqu'à ce qu'elle redescende. Alors là, on sait qu'on est sur une île.

Aujourd'hui, cependant, tandis que l'autobus avançait en trépidant sur la route absolument sèche, on ne voyait que des kilomètres de boue brune et poisseuse et des herbes jaunâtres qui ondulaient avec raideur dans le vent. J'ai entrouvert la vitre pour humer l'odeur de la mer. Salée, fraîche, propre.

L'autobus était presque vide : il n'y avait que moi et une fille à l'arrière, avec une drôle d'allure, qui lisait un magazine féminin. Elle avait trop de dents dans la bouche et ne cessait de serrer les lèvres pour essayer de les contenir, comme un poisson qui aspire l'eau. Gloup gloup. Je l'ai observée un petit moment, puis j'en ai eu assez et j'ai à nouveau regardé par la fenêtre. Nous étions arrivés sur l'île. L'autobus avançait en bringuebalant sur des routes étroites bordées de haies hautes et d'arbres fouettés par le vent ; leurs branches venaient frotter les vitres lorsque l'autobus se serrait sur le bas-côté. Derrière les haies, on apercevait des champs sans vie parsemés d'oiseaux – des mouettes, des vanneaux, des freux – qui picoraient la terre gelée. Des fermes défilaient dans ce paysage vaguement désertique. Des bâtiments délabrés ; amas de planches décolorées par les intempéries coiffées d'un toit de tôle . Des murs de torchis, du grillage, des plaques de métal rouillé, un tracteur éventré. Des centres d'équitation, des terrains de steeple-chase à la terre bien tassée sur lesquels les barres colorées formaient d'étranges dessins. Du crottin de cheval à vendre dans des sacs en plastique bleu. Des fausses granges dans lesquelles on vendait des fruits, des légumes et de faux œufs frais. Des panneaux délavés : *Cueillez vous-mêmes vos fruits, Palettes à vendre, Laperots* (avec la faute d'orthographe), *Chiots Boxer, Épagneuls.* Des enseignes de pubs, avec leurs noms traditionnels : Le Chien et le Faisan, La Rose, La Vie comme elle vient. Des rangées de cottages minuscules, des virages bien cachés, des panneaux incompréhensibles, des églises au milieu de nulle part...

Quelle étrange sensation d'être en dehors de la maison ! Excitante, mais aussi un peu effrayante. Je n'en avais pas l'habitude. Mon univers se limitait à la maison, la rue, l'école et, régulièrement, une petite incursion en ville. N'importe où ailleurs, c'était l'aventure. Lamentable, vraiment. Le plus palpitant dans l'affaire, c'était que personne ne savait où me trouver. Personne. Pas un chat. Excepté le chauffeur de l'autobus et la fille à la bouche de poisson, évidemment. Eux, ils savaient où j'étais mais ils ignoraient qui j'étais. Je ne sais pas pourquoi je trouvais ça excitant.

Après un nouveau virage en épingle à cheveux, j'ai aperçu au loin une lueur argentée. J'ai eu beau regarder à travers la vitre maculée, je n'ai pas pu distinguer la mer du ciel. Tout n'était qu'une vaste couverture gris aluminium.

L'autobus a pénétré au cœur de l'île. Fossés boueux, marécages plantés d'herbes brunes et humides, terre pelée. Des oiseaux hauts sur pattes arpentaient la vase des berges, des échassiers glissaient leurs longs cous incurvés dans la fange noire à la recherche de vers des marais. La bouffe. Leur seul et unique sujet de préoccupation. Aucun souci en dehors de la bouffe. Veinards.

Enfin, la mer est apparue. Au loin, une étroite bande brillante au bout de la boue. Bas sur l'eau, un long bateau cargo glissait en silence à l'horizon. D'où venait-il ? me suis-je demandé. Où allait-il ? Que transportait-il ? Du sucre ? Des céréales ? De la mélasse ? C'est quoi la mélasse ? C'est mollasse, la mélasse. Mollasse mélasse. Un bateau plein de mollasse mélasse.

L'autobus a tourné et la mer a disparu.

J'ai fermé les yeux. La première fois que je suis venu ici... quand était-ce ? Des années auparavant. Avec un copain, je crois, un type de l'école. Comment il s'appelait ? J'ai oublié. Pas vraiment un ami, juste un gars avec qui j'ai traîné un moment. Je ne l'ai jamais aimé. Il était miro, amblyope même. Il portait des lunettes et un des verres était caché. Il avait toujours le nez bouché. Il avait passé la journée à raconter comment les plages en Grèce, à Majorque ou je ne sais où, étaient fandasdiques. Il y faisait très 'aud, c'était dellement prop'et dellement joli...

Qu'est-ce qu'on en a à fiche ?

Après, je suis toujours revenu seul. Et toujours l'hiver, quand il ne faisait pas chaud, quand ce n'était ni propre ni joli.

En tout cas, je ne suis jamais venu ici avec papa.

– La plage ? il aurait dit. Pourquoi que tu veux aller à la plage ?

Papa n'allait jamais nulle part. Nous n'allions jamais nulle part. Même avant le départ de maman, on n'allait jamais nulle part. On n'a jamais eu de voiture. Papa ne savait pas conduire. On n'est jamais partis en vacances, on n'est jamais allés en Grèce ni à Majorque, on n'a jamais pris un week-end, on n'a jamais rien fait…

– Hé !

L'autobus s'était arrêté et le chauffeur m'appelait.

– Alors, tu descends ou quoi ?

Pour atteindre la mer, il faut traverser ce petit village endormi, longer un moment la route de la côte, puis tourner à gauche et descendre un escalier escarpé qui mène sur la plage. Il n'y avait presque personne, juste deux vieilles dames qui se promenaient en s'appuyant sur leurs cannes et un vieux marin gâteux en compagnie d'un chien à moitié mort. Au fur et à mesure que j'avançais sur la route, je distinguais un petit cliquetis isolé qui venait du gréement des bateaux au repos dans la vase, au loin. Les mouettes se chamaillaient en criant et tournaient en rond dans le vent.

Le ciel était sombre et pesant.

En arrivant sur la plage, j'ai fait crisser les galets sous mes pieds. Cela a été déterminant, comme si j'avais pénétré dans un autre monde. Loin de la civilisation, des voitures, des maisons, des boutiques, des musiciens ambulants, des cantiques de Noël et des rennes de contreplaqué… loin de tout.

Je me sentais heureux, sans savoir pourquoi. Peut-être parce que l'endroit était désert. Froid, inhospitalier, vide. Ouvert à tous les vents. Hostile. Sans reproche.

L'air était immobile et le vent presque entièrement tombé. J'étais gelé jusqu'aux os. J'ai boutonné mon manteau et enfoncé mon bonnet de laine sur mes oreilles. Tandis que je marchais lentement, la tête basse, vers l'horizon lointain où la plage rétrécissait avant de disparaître dans la mer, le ciel paraissait s'abaisser jusqu'à la terre. Plus j'avançais, plus ça devenait tranquille. La mer était lourde et calme, les galets s'étaient transformés en un sable fin et sec qui absorbait silencieusement mes pas.

Je n'avais aucune pensée suivie, je marchais simplement le long de la plage en shootant dans des trésors. Du polystyrène, du plastique, des ordures municipales. Du bois flotté. Des flotteurs. Des casiers à poissons. Des sandales. Des têtes de poissons. Des couteaux, des bulots et des bernard-l'ermite. D'innombrables coquillages minuscules, rose chair et fins comme du papier. En passant devant la triste carcasse noircie d'un marsouin mort, j'ai senti une puanteur intense. On apercevait des lambeaux de chair grise là où la peau caoutchouteuse avait été fendue par l'hélice d'un bateau. Littéralement déchirée. Je l'imaginais en train de se traîner désespérément dans les vagues, en poussant des cris inintelligibles.

Moribond.

Je me suis arrêté, écrasé soudain de tristesse.

La neige s'est mise à tomber. Des gros flocons paresseux, qui voletaient, oscillaient, tournaient, prenaient leur temps en traversant lentement l'air froid et dense. Des cristaux blancs et doux, gros comme des pièces de monnaie. Je me suis senti gagné par une vague d'excitation en contemplant le ciel qui n'était que ténèbres blanches. Des millions de flocons tombaient du ciel comme des envahisseurs venus d'une autre planète, silencieux et paisibles – menaçants.

Impressionnant. Un univers venu d'ailleurs.

Le regard tourné vers le ciel, je me suis demandé comment Dieu pouvait bien me voir, si jamais Il était là-haut. Je me suis imaginé comme un minuscule point noir, une particule aveugle luttant contre la neige et le sable. Un insecte. Sans but. Seul. Indéterminé, sans forme et sans consistance.

Un petit pas grand-chose.

J'ai baissé la tête et repris ma marche. Oublie ça, me suis-je dit. Pense à autre chose. À quelque chose de solide. Le sable, la neige… c'est quoi ? De quoi est-ce fait ? Allez, réfléchis. Le sable. Je ne sais pas, de rochers, de pierres, de coquillages, d'arêtes de poisson, tout ça broyé par la mer, pulvérisé pendant des millions d'années. Le sable. Les châteaux de sable. Le marchand de sable. Sur son nuage. Les sablés. Les sablés au chocolat. À la cannelle. Et la neige ? C'est quoi la neige ? De quoi est-ce constitué ? De pluie gelée ? Non, ça c'est la grêle. Ou alors… ? Je sais pas. La neige est faite de cristaux. Des motifs symétriques. Chaque flocon est unique. Vraiment ? Qu'est-ce qu'on en sait ? Tient-on un registre de tous les flocons de neige qui sont tombés ? Il en existe peut-être deux qui sont identiques. Comment savoir ? La neige. Les boules de neige. Une chute de neige. Perce-neige. Chasse-neige. Bonhomme de neige. L'abominable homme des neiges. La neige, la neige. Vite, vite, la neige…

J'ai relevé la tête. Devant moi s'étendait le néant. Blanc, gris, noir, blanc, gris, noir. Le sable, la mer, le ciel. Je ne bougeais presque plus. C'était comme se déplacer sur un tapis de jogging, on marche mais on n'avance pas. Le temps avait disparu. Il ne s'était pas arrêté, il n'avait pas ralenti, il avait disparu.

N'y pense plus, me suis-je dit. Continue à marcher. Continue à avancer. Continue à réfléchir. La mer. L'eau salée. La mer. Amer. Le destin. La mer.

L'Adriatique. La mer de Chine. La mer d'Irlande. La mer Rouge. La mer Morte. La mère morte. La mer Atlantique ? Non, c'est l'océan Atlantique. C'est quoi, la différence entre la mer et l'océan ? Je ne sais pas. La mer. Les coquillages. Les cafouillages. Les algues. Le bord de mer. Le mal de mer. Le front de mer. Le chien de mer. La chienne de... Cool Raoul, à l'aise Blaise. Quoi encore ? Le ciel. Enfer et damnation, je ne sais pas ce que c'est que le ciel ! Le ciel, c'est le ciel et basta ! Le ciel, c'est la limite supérieure. Le ciel, c'est du miel. Une tartine beurre et miel. Beurré. Bourré. Tomber du ciel. Remuer ciel et terre. Un gratte-ciel. Le ciel est à tout le monde...

Je me suis arrêté. J'étais parvenu au bout de la plage. Un doigt de sable s'enfonçait dans la mer boueuse et moi, j'étais à l'extrémité de ce doigt. Il n'y avait plus nulle part où aller. La mer sans couleur s'étendait à l'infini devant moi, désert brouillé d'eau et de neige, sombre, froid et informe. Je me suis assis sur une petite butée de galets et j'ai contemplé, hypnotisé, le ciel saturé de neige.

Si je reste ici assez longtemps, ai-je pensé, je mourrai gelé jusqu'aux os. Et demain matin, quelqu'un, en promenant son chien, tombera sur moi assis en tailleur face à la mer, comme une statue, raidi par le froid. Blanc dehors et blanc dedans. Un bonhomme de neige. Un garçon de neige.

Est-ce que ce serait si grave ? Est-ce que ça ferait mal ?

Je me suis imaginé dévoré par le froid, d'abord les doigts, le nez, les orteils et les oreilles engourdis avant que cela ne gagne petit à petit les membres, la peau, les os jusqu'à ce qu'enfin, mon corps tout entier ait perdu, en gelant, toute sensibilité et que je ne puisse plus rien sentir.

Est-ce que ce serait si grave ? Je ne sais pas.

Est-ce déjà trop tard ?

Pourrais-je encore me lever si j'en avais envie ? Mes jambes sont mortes, elles ne sont plus à moi.

Mes pensées ralentissent.

Qu'est-ce que tu veux faire ?

Qu'est-ce que tu veux devenir ?

Qu'est-ce que tu veux ?

Je ne sais pas.

Je suis fatigué.

J'ai les paupières lourdes.

La neige tombe.

Sans fin.

Sombre et clair.

Noir et blanc.

Bien et mal.

Papa et moi.

Alex et moi.

La voilà. Je la vois. Elle glisse silencieusement sur la mer, vêtue d'une robe blanche. Je la vois. Avec son visage pâle, ses cheveux noirs et brillants, ses yeux sombres pailletés de vert. Je la vois.

Elle est belle.

Qu'est-ce que tu veux faire ?

Je voudrais tendre la main vers elle, la toucher, mais je ne peux pas bouger. Je voudrais l'appeler, crier son nom, mais je n'ai pas de voix. Tout ce que je peux faire, c'est la regarder voguer sur la mer, atteindre le sable, flotter doucement vers moi, avec son sourire, elle se rapproche, c'est à moi qu'elle sourit, elle se rapproche, encore… et soudain, elle s'arrête. Toujours souriante, elle renverse la tête en arrière, des pétales blancs dégringolent de ses cheveux et elle ouvre la bouche pour avaler la neige qui tombe et… Elle me regarde à nouveau, et mon cœur crie. Un tremblement parcourt ses lèvres, ses paupières battent comme des ailes nerveuses tandis qu'elle tend la main en avançant vers moi…

Et puis elle change.

Ce n'est pas Alex. Cela n'a jamais été elle. C'est papa. Il titube sur la plage, ridiculement vêtu de bottes pointure 42 et d'une robe blanche en haillons. Comme un épouvantail macabre, soûl et d'une pâleur mortelle. Papa. Armé d'une bombe de crème à raser, il vaporise à bout de bras des cascades de neige d'un blanc crémeux. Papa. Le fabricant de neige. Sans vie mais vivant, ses yeux morts enfoncés dans son crâne ouvert, il lance du sable en vacillant, un rictus d'ivrogne sur le visage, j'entends son rire, il se rapproche, il se moque de moi, il se rapproche, encore…

J'ouvre brutalement les yeux et je bondis sur mes pieds. Frissonnant violemment, je chasse la neige de mes membres et reste planté, oscillant sur mes jambes engourdies et pleines de fourmis.

Regarde ! Regarde là ! Il n'y a rien, rien qu'une mer froide et noire sous la neige. Espèce d'idiot. Bouge. Maintenant. Vas-y. Tire-toi d'ici avant d'être gelé à mort.

Quoi ?

Bouge !

J'ai fait demi-tour et je me suis mis à courir.

Ce n'était pas facile. Le vent soufflait de nouveau, la neige me giflait et le froid me faisait souffrir. J'avais les jambes raides et le sable mouillé m'alourdissait les pieds. J'avais l'impression de courir dans de la mélasse – une mélasse blanche et sableuse. Mais je ne m'arrêtais pas, je battais des bras, je respirais à fond, j'aspirais l'air froid et, tandis que l'oxygène venait envahir ma tête, les images de papa et d'Alex ont commencé à se fissurer avant de disparaître. Les yeux, la robe blanche, ce sourire…

Était-ce vraiment Alex ?

Était-ce un rêve ?

Était-ce la réalité ?

Oublie tout, disait la voix, et cours.

Ça ne s'était peut-être jamais produit ? C'était peut-être…

Ce n'était rien. Tu avais froid, voilà tout. Tu avais froid, tu étais mouillé et tu avais faim. Ces derniers jours, tu n'as pas mangé grand-chose. Tu es fatigué. Tu t'es assoupi. Tu as froid et tu es fatigué. Ta tête te joue des tours. N'y pense plus, continue à courir.

Et j'ai couru.

J'ai foncé tête baissée dans la neige, le cœur battant, les jambes tremblantes, j'ai couru comme je ne l'avais encore jamais fait. Avaler le sable, la neige, le vent, la neige, le sable… j'ai perdu conscience du temps. J'avais l'impression de courir de toute éternité. J'avais oublié ce qui m'avait poussé à démarrer. Étais-je en train de m'échapper ou au contraire de foncer vers quelque chose ? Ça n'avait pas d'importance, apparemment. Je courais, et voilà. Dans le sable et la neige et le vent et le sable et la neige et le vent… jusqu'à ce qu'enfin, je sente la terre ferme sous mes semelles.

L'escalier.

J'ai à peine osé y croire. Je me suis mis à taper des pieds, doucement d'abord puis plus fort et le bruit rassurant de mes bottes sur le ciment m'a arraché un sourire de bonheur fou. Ah ! La terre ferme, la vraie. Merveilleux. Dure, solide au poste. Ciment. Goudron. Une surface rationnelle. Faite pour marcher dessus. Je me suis cramponné à la rampe, j'ai escaladé les marches et je suis arrivé sur la route.

Tout était redevenu calme et tranquille. La mer, au loin, était silencieuse, le vent chuchotait et, dans ma tête, la voix s'était tue.

J'ai levé les yeux vers le ciel. La neige avait cessé.

J'ai jeté un coup d'œil vers la plage, mais il n'y avait rien à voir. Juste un brouillard gris-blanc. Rien. Une plage, une simple plage.

Lentement, je me suis dirigé vers la route de la côte.

Le village était encore plus désert qu'à mon arrivée. Plus de vieilles femmes, plus de vieux marin, plus de chien. Il aurait pu s'agir d'un village fantôme. Humide, sombre et vide. J'ai cherché une boutique. J'avais besoin de manger, de boire quelque chose de chaud. Une tasse de thé et une barre Mars. Mais il n'y avait rien. Tout était fermé.

J'aurais voulu n'être jamais venu.

La neige commençait déjà à fondre sur la route et coulait des gouttières comme de la purée nageant dans la sauce. J'ai marché dans la bouillasse jusqu'à l'arrêt d'autobus et je me suis assis.

Les pieds mouillés. Les fesses trempées.

Le banc était humide.

Je me suis installé pour attendre le bus.

Je ne savais pas du tout quelle heure il était.

L'heure de rentrer à la maison.

Je m'en souviens maintenant. De presque tout. Il me semble. Je me souviens de la neige. Je me souviens du froid, non, je ne me souviens pas du froid, on ne se souvient pas de trucs comme ça, non ? Le froid, la douleur, la peur… les sentiments, on ne peut pas les mémoriser. On se souvient de l'idée de quelque chose, on peut se rappeler qu'on a eu froid, qu'on a eu mal, qu'on a eu peur, mais on n'a pas réellement le souvenir de ce qu'on a ressenti.

Et pourtant, c'est arrivé.

J'en suis bien persuadé.

Il faut me croire.

Ou ne pas me croire. À vous de choisir. À vrai dire, je m'en fiche. Moi, je sais ce qui s'est passé.

Quand je suis descendu de l'autobus, le jour avait bien baissé et, pataugeant dans la boue, j'ai foncé vers la maison. On devait être en début de soirée. Je me suis demandé si Alex était déjà passée. L'avais-je ratée ?

Je n'aurais jamais dû aller sur cette satanée plage, c'était d'emblée une idée idiote. J'aurais dû rester à la maison. Pourquoi y étais-je allé ? À quoi avais-je pensé ? Aujourd'hui, c'était le jour J. Celui où nous avions prévu de nous débarrasser du corps. Et moi j'étais tranquillement parti me balader sur la plage, en pleine tempête de neige. Bien vu, Martyn. Bonne idée. Très futée.

Mes vêtements étaient encore mouillés et tellement collés à mon corps que j'ai dû me débattre pour sortir mes clés de la poche de mon pantalon. En plus, j'avais les doigts engourdis, tout blancs et ridés comme si j'étais resté trop longtemps dans le bain.

Dans la maison, il faisait froid. J'ai allumé toutes les lumières, j'ai accroché mon manteau, j'ai ôté mes bottes et mes chaussettes trempées et j'ai branché le chauffage.

Cinq heures deux, disait la pendule. Il devait être plus tard que ça. Elle ne marchait sans doute pas. Je suis allé vérifier dans la cuisine. Il était bien cinq heures deux. Je ne pouvais pas y croire. J'avais cru être parti depuis des siècles.

C'est pas grave.

N'y pense plus. Oublie cette histoire. Recommence à zéro, fais semblant que la journée vient de démarrer.

J'ai mis la bouilloire en marche, je me suis préparé une grande tasse de thé et j'ai sorti un paquet de biscuits au chocolat du placard. Ensuite je suis monté me faire couler un bain. Un bain bouillant. En me déshabillant, j'ai remarqué mon reflet dans le miroir. Blanc décoloré avec une touche de bleu. Les oreilles rouges, le nez rouge, les yeux larmoyants. Je ressemblais à un nouveau-né.

Béatement, je me suis laissé glisser dans l'eau brûlante. La neige, le froid, la crasse et les mauvais souvenirs se sont évanouis. J'ai avalé mon thé chaud et fort, j'ai mangé des biscuits au chocolat. J'ai allumé la radio. J'ai pissé, j'ai pété et les bulles m'ont fait rigoler.

J'étais chez moi.

La maison, c'est la maison. Peu importe qu'on la déteste, on en a quand même besoin. On a besoin de ce à quoi on est habitué. On a besoin de sécurité.

Au début, j'ai bien failli ne pas entendre la sonnette. J'avais la tête sous l'eau, la radio était allumée, alors cela ne faisait qu'un *drrrr* étouffé. Je me suis redressé, j'ai éteint la radio et penché la tête pour chasser l'eau de mes oreilles. Cette fois, c'était plus clair. *Drrrrrring.* J'ai bondi hors de l'eau, j'ai enroulé une serviette autour de ma taille et foncé au rez-de-chaussée. Je laissais derrière moi, sur le tapis, l'empreinte humide de mes pas.

– Alex ! me suis-je exclamé en ouvrant la porte.

Elle m'a regardé de haut en bas, l'air surpris. J'ai resserré ma serviette, soudain gêné.

– Je prenais un bain, ai-je expliqué en la faisant entrer.

Elle a posé un doigt sur mon visage.

– Tu as du chocolat sur le menton.

J'ai lâché ma serviette, je me suis essuyé le menton et puis j'ai rattrapé ma serviette en la sentant glisser. Alex a souri. Elle portait un vieux bonnet de fourrure avec les oreilles rabattues, des grosses bottes fourrées et un long manteau noir. Le tout légèrement givré de neige fondue.

J'ai refermé la porte.

– Regarde-moi ça ! s'est exclamée Alex en ôtant son bonnet.

Je ne savais pas ce qu'elle voulait dire. Je me sentais mal à l'aise. Debout devant elle, à moitié nu et mouillé. Je devais ressembler à un poulet fraîchement plumé, pâle et décharné. Mes jambes maigres sortaient de sous la serviette comme des cordes à nœuds. Sans compter ma poitrine de pigeon. J'étais un homme-oiseau. Un garçon-oiseau.

Je me suis lissé les cheveux en arrière et ils sont mollement retombés sur le côté. Je ne savais pas quoi faire de mes mains. Jusqu'à présent, il ne m'était jamais arrivé de me retrouver à moitié nu devant une fille. Sous la serviette, je me sentais… vulnérable. De toute façon, c'était bien ainsi que je me sentais, en règle générale.

– Je vais aller m'habiller.

– Tu ferais mieux, a répliqué Alex en riant.

J'étais en train de remonter ma braguette quand elle a surgi dans la chambre en sortant deux trucs à lanières de son sac.

– J'ai apporté ça, a-t-elle dit.

Quoi ? ai-je pensé. Elle a apporté quoi ? Ça lui arrive jamais de frapper avant d'entrer ? J'aurais pu être tout nu.

– Qu'est-ce que c'est ? ai-je demandé tandis qu'elle me brandissait ses trucs sous le nez.

– Des masques chirurgicaux. Pour éviter les odeurs.

Elle en a mis un. C'était un masque comme en portent les chirurgiens lorsqu'ils opèrent un patient.

– Tu vois ?

– Où les as-tu dénichés ? ai-je demandé, impressionné.

– Dans le matériel d'infirmière de maman. Je les ai trouvés dans son tiroir. Vas-y.

Elle m'en a tendu un et je l'ai essayé, en faisant un nœud derrière la tête. Je me suis regardé dans la glace. Docteur Pig.

– Ça te va bien, a dit Alex.

– Merci.

– Ça cache ta tête.

– Très drôle.

Je suis allé dans la salle de bains prendre deux paires de gants en caoutchouc dans le placard, sous le lavabo. Je suis revenu dans la chambre les proposer à Alex.

– Rose ou jaune ?

Elle avait l'air égarée.

– Les empreintes, ai-je expliqué.

– Oh !

– Le point faible de bien des esprits criminels, ai-je déclaré en souriant.

– D'accord.

– Alors, rose ou jaune ?

Elle a pris les jaunes et nous nous sommes gantés.

– Où est la voiture ?

– Maman n'est pas encore rentrée, m'a-t-elle dit après avoir regardé sa montre. Encore une bonne heure.

– Très bien. De toute façon, il faut encore qu'on le descende.

– Écoute, Martyn, a-t-elle dit en soupirant, tu es vraiment sûr de vouloir faire ça ? N'y aurait-il pas un autre moyen… ?

– T'inquiète pas. J'ai tout prévu. Viens, je vais te montrer.

Même avec les masques, ça puait encore sacrément dans la chambre de papa. Il y avait quelque chose de suintant et de poisseux dans cette pièce – les draps, le tapis, l'atmosphère – tout était glacé et répugnant.

Je me suis dirigé vers le lit, j'ai regardé en dessous et attrapé un sac de couchage. Vert, en nylon, puant. Je l'ai déroulé et posé par terre.

– La fermeture Éclair fait presque tout le tour, ai-je expliqué à Alex.

– Il y a un trou en haut, a-t-elle remarqué en s'age-nouillant à côté de moi. Sa tête va sortir.

En souriant, j'ai sorti une agrafeuse de ma poche arrière.

– Clic clac.

Mais Alex n'était toujours pas satisfaite.

– Et s'ils le trouvent ? La police. Avec le sac de couchage, ils pourront remonter jusqu'à toi.

– Personne ne s'en est jamais servi, ai-je répliqué en secouant la tête. Papa l'a gagné en jouant aux cartes, il y a des années. Il l'a fourré sous son lit et il l'a oublié.

– En jouant aux cartes ? Comment on peut gagner un sac de couchage en jouant aux cartes ?

– J'en sais rien. En tout cas, il est propre. Sale, mais propre, si tu vois ce que je veux dire. Je sais ces choses-là, Alex. Je suis un lecteur de romans policiers.

– Si tu le dis.

– Oui.

Nous nous sommes relevés en nous examinant mutuellement. Masqués et gantés. Le masque allait bien à Alex, elle avait l'air mystérieux. Ses yeux brillaient d'un éclat sombre.

– Parfait, alors. On va l'habiller. Où as-tu mis sa chemise et sa veste ?

– Je vais les chercher, a-t-elle dit en se dirigeant vivement vers l'armoire, qu'elle a ouverte. Chemise blanche ?

J'ai approuvé d'un hochement de tête et elle m'a tendu la chemise.

– Et la veste.

J'ai pris la veste, une noire crasseuse.

– Attends.

– Quoi ?

– Je crois qu'il portait l'autre.

– Quoi ? Quelle autre ?

– La marron.

– Quelle marron ?

– Il possède deux vestes, ai-je expliqué. Celle-là et une vieille marronnasse. Je suis sûr que c'était la marron qu'il portait. Regarde dans l'armoire, elle doit être là.

Elle a hésité.

– Quelle importance ? a-t-elle répliqué. La veste qu'il porte, ça change rien, non ? Qui va savoir ça ?

– Ouais, bon, c'est seulement que… j'aime bien soigner les détails. Ça me donne le sentiment de…

– C'était cette veste-là qu'il portait, Martyn. Je m'en souviens. D'accord ? Allez, finissons-en, maintenant.

Elle a refermé l'armoire et m'a passé les chaussettes et les chaussures de papa. J'avais envie de rajouter quelque chose à propos de la veste, mais l'expression de son visage disait « Ça suffit comme ça », alors je me suis tu.

Après l'avoir habillé, j'ai ouvert la fermeture Éclair du sac de couchage et l'ai étalé près du lit. Ensuite, je suis passé de l'autre côté et j'ai enlevé la couette. Papa était couché, muet, aveugle, pâle, décoloré, mort. Il semblait avoir rétréci. Sa peau pendait en plis lâches, comme celle d'un centenaire. J'ai imaginé le squelette sous son enveloppe. Des os blancs et cassants, le calcium. Articulés dans tous les endroits où il fallait, comme par magie.

Avec un linge humide, j'ai ôté tout le maquillage de son visage. En dessous, il avait le teint couleur papier mâché.

Puis je me suis accroupi, j'ai agrippé le bord du matelas et j'ai soulevé. Au début, j'ai bien cru qu'il n'allait pas bouger, qu'il était comme collé au matelas. Mais il a commencé à rouler. J'ai levé plus haut et il est tombé par terre avec un bruit sourd.

Aïe ! ai-je pensé.

Je l'ai installé sur le sac de couchage, puis je me suis agenouillé et j'ai pris sa main dans la mienne. Son corps avait perdu sa rigidité, mais il avait une main dure et impitoyable, exactement comme de son vivant. Je ne l'avais jamais vraiment regardée, en tout cas pas de près. Je ne la connaissais pas. Il me frappait toujours avec cette main. J'ai examiné les lignes et les marques dans sa paume, les spirales au bout de ses doigts, ses ongles durs et crasseux, les poils noirs et drus sur ses phalanges. Il avait la main sale, maculée de poussière. Une petite cicatrice blanche à la base du pouce ressortait nettement sur la peau grisâtre. Au majeur droit, un anneau doré terni était incrusté dans la chair. Je me suis demandé d'où ça venait. Était-ce un cadeau ? Qui le lui avait fait ? Maman ?

J'ai fouillé dans ma poche et j'en ai sorti l'enveloppe contenant les cheveux et le mégot de cigarette que j'avais ramassés sur le sol de la cuisine. Avec précaution, j'ai glissé quelques cheveux de Dean sous un des ongles de papa en entortillant le bout autour de son doigt pour les maintenir en place. Ça ferait l'affaire.

Je lui ai croisé les bras sur la poitrine.

J'ai renversé l'enveloppe et éparpillé le reste des cheveux ainsi que le mégot dans le sac de couchage, avant de le refermer. *Zip zip zip.* J'ai resserré le cordon et je l'ai noué ; ensuite, j'ai pris l'agrafeuse et j'ai fermé hermétiquement le haut du sac avec une jolie rangée d'agrafes. *Tchictchictchictchictchictchic.*

Disparu.

Je ne le reverrai jamais.

J'ai regardé le gros cocon de nylon vert en me demandant si j'aurais dû ressentir quelque chose. N'importe quoi.

Mais je ne ressentais rien.

– On ferait aussi bien de le descendre, ai-je proposé. Toi, tu prends par ce bout.

Le nylon a crissé sur le parquet quand nous avons traîné le sac hors de la chambre, sur le palier et jusqu'en haut de l'escalier où nous nous sommes arrêtés pour reprendre notre souffle.

– Lourd, a lâché Alex, essoufflée.

J'ai hoché la tête en respirant bruyamment. Le pied de l'escalier paraissait loin, très loin.

– Ça n'a pas beaucoup de sens de le porter jusqu'en bas, ai-je remarqué.

– T'as raison, a-t-elle répondu en haussant les épaules.

J'ai descendu deux marches, je me suis retourné, j'ai attrapé l'extrémité du sac de couchage, pris une profonde inspiration et tiré. Le duvet a glissé lentement par-dessus le bord de la première marche, puis il s'est arrêté. Coincé.

– Pousse-le, ai-je dit.

Alex s'est penchée pour pousser par-derrière tandis que devant, j'attrapais le tissu pour tirer. Le sac s'est plié au milieu quand j'ai redressé le corps en position assise.

– Encore une fois.

Elle a poussé, j'ai tiré. Le sac a bougé, il a oscillé une seconde et puis, brusquement, il a basculé vers moi.

– Attention !

J'ai fait un saut de côté juste à temps pour le laisser dégringoler les marches – *clang clong clang clong clang clong clang clong boum*. Il a atterri en tas au pied de l'escalier.

Je regardais une petite neige fondue tomber à l'oblique dans la rue. La mère d'Alex était rentrée dix minutes plus tôt, j'avais vu passer sa voiture. Alex lui avait téléphoné pour vérifier à quelle heure elle res-sortait. À six heures. Il nous restait une heure.

Alex, allongée sur le canapé, suçait une orange.

– Comment allons-nous le mettre dans la voiture ? a-t-elle demandé.

Question judicieuse. Le genre de question à laquelle un bon écrivain de polars devait avoir une réponse. Je n'en avais pas la moindre idée.

– Martyn ?

– Quoi ?

– Comment va-t-on le mettre dans la voiture ?

– Je ne sais pas, ai-je avoué.

Dans un livre, ça se passerait comment ? Je me suis creusé la cervelle, en essayant de me souvenir si j'avais déjà lu quelque chose de similaire. Je me rappelais seulement l'histoire d'un homme qui avait assassiné sa femme et caché le corps dans les bois, mais cela se passait quelque part dans la nature, en Amérique, dans une cabane en rondins ou je ne sais où, là-haut dans la montagne, un endroit désert. Notre situation était légèrement différente. Une maison mitoyenne dans une rue latérale bondée, au beau milieu d'un quartier de fouineurs.

– Au moins, il fait sombre, a remarqué Alex.

J'ai regardé par la fenêtre. La neige fondue luisait dans la lumière du réverbère de l'autre côté de la rue. Par ici, il ne fait jamais noir, ai-je pensé. On voit des lumières partout. Des réverbères, des veilleuses de sécurité, des phares, tellement de lumière qu'on n'arrive même plus à voir les étoiles la nuit.

– Faudra y aller au flan. Tu amènes la voiture le plus près possible de la porte, on l'embarque vite fait et on espère que personne ne verra rien.

– On espère que personne ne verra rien ? a répété Alex d'un ton incrédule.

– À moins que tu n'aies une meilleure idée ?

Elle s'est allongée pour regarder le plafond. Elle avait les cheveux tirés en arrière, et en dessous, j'ai aperçu son cou frêle et pâle, pareil à un tube blanc et lisse. En la voyant tendre la main pour remettre sa queue-de-cheval, j'ai brusquement pensé à Dean. Sa figure bouffie. Ses traits relâchés, sa bouche molle, ses yeux de lézard, ses cheveux idiots. Dean… je ne l'avais pas oublié, je l'avais simplement mis de côté pour le moment. Une chose à la fois. Dès que cette histoire serait réglée, j'en reviendrais à Dean. Ça oui.

Je me demandais ce qu'Alex éprouvait maintenant à son égard. Que pensait-elle de ce qu'il avait fait ? Était-elle en colère ? Humiliée ? Gênée ? Avec elle, impossible de savoir. Elle aimait bien garder ses émotions pour elle.

– Alors ? ai-je dit.

Elle s'est redressée en s'essuyant les doigts sur un mouchoir en papier.

– Je ne trouve rien d'autre.

– Eh bien alors, on va donc y aller au flan, ai-je répliqué en souriant.

Ça n'a pas vraiment d'importance, ai-je pensé en tirant papa empaqueté jusqu'à la porte d'entrée, pour attendre qu'Alex amène la voiture. Si quelqu'un nous voit, il nous verra. Si personne ne nous voit, tant mieux. Voilà tout. Encore ce petit air mystérieux, la flûte invisible. Il joue, nous dansons – ce qui arrive arrive.

Je portais encore les gants de caoutchouc, mais j'avais ôté le masque. Cela risquait d'être juste un peu trop suspect. Par-dessus les gants de caoutchouc, j'en avais enfilé une deuxième paire, des mitaines en laine. J'avais également mis ma vieille parka, au capuchon bordé de fourrure, un gros pull, un bonnet de laine, des bottes et des chaussettes hautes et épaisses. Pour aujourd'hui, j'en avais ma claque du froid et de l'humidité, merci.

J'ai entendu Alex démarrer la voiture plus bas dans la rue. Le moteur a gémi, haleté, toussé et s'est tu. Alex a réessayé — *uuuruurr… urururuur… urrrruur…* — puis le silence. Sa mère n'aurait pas pu avoir une voiture convenable ? Un truc japonais. Qui marche normalement. Quand le gémissement a recommencé, je me suis recroquevillé, mais cette fois, au bout de deux secondes, le moteur a démarré. Bon, on ne peut pas dire qu'il ait rugi, mais il a démarré. Alex a accéléré en pompant comme une folle, elle l'a laissé chauffer et ensuite j'ai entendu un bruit d'engrenage lorsqu'elle a cherché la bonne vitesse, suivi du couinement du frein à main, puis encore un petit coup d'accélérateur, encore de l'engrenage… Pourquoi fallait-il qu'elle fasse autant de bruit ?

Deux minutes plus tard, la voiture s'est garée devant la maison. Frein à main, moteur en marche. J'ai ouvert la porte, il était là, le corbillard de papa : un vieux break sale et rouillé, qui crachait de la fumée.

Une bagnole bizarrement adaptée.

Alex était debout à côté de la portière arrière. Avec son bonnet de fourrure couvert de neige et ses grosses bottes fourrées, elle ressemblait à un Esquimau. Alex l'Esquimau.

– Tu crois qu'il y a assez de place ? a-t-elle crié pour couvrir le bruit du moteur.

– Chut ! ai-je ordonné en portant mon doigt à mes lèvres.

– Quoi ? a-t-elle crié.

Je l'ai entraînée vers la porte.

– Parle doucement.

– Désolée, a-t-elle dit en baissant la voix. Tu crois qu'il y a assez de place ?

– À l'aise, ai-je répondu en regardant l'arrière de la voiture.

Des phares ont balayé la rue et une voiture bourrée de musique et de gros durs est passée, dérapant trop vite dans la neige fraîche. J'ai voulu aller fermer la porte, mais c'était trop tard, ils avaient disparu. De toute façon, ça n'avait aucune importance, il n'y avait rien à voir. Deux gamins et une vieille bagnole cabossée... et alors ?

– Viens, ai-je dit. On le charge et on s'en va. D'accord ?

Un dernier coup d'œil de chaque côté de la rue.

– D'accord.

Je me suis penché pour attraper le haut du sac de couchage. Alex a pris l'autre extrémité et nous sommes sortis en titubant, aussi vite que possible. Maintenant que le corps s'était un peu ramolli, il n'était plus aussi difficile à manœuvrer, mais il s'était aussi beaucoup affaissé et on aurait dit qu'il était devenu plus lourd. Le poids m'arrachait le dos et je n'arrêtais pas de me répéter d'avancer à petits pas. Quand on porte quelque chose de lourd, mieux vaut avancer à petits pas.

La voiture était garée à moitié sur le trottoir, légèrement inclinée.

– On le pose une seconde, ai-je chuchoté quand nous y sommes parvenus.

J'ai raffermi ma prise par en dessous pour pouvoir soulever plus facilement.

– Je vais d'abord rentrer ce bout-là et après, on fera passer le reste.

Alex a acquiescé d'un hochement de tête, mais je ne suis pas sûr qu'elle m'ait entendu. Le moteur haletait, le pot d'échappement nous crachait à la figure, la neige tombait, nous chancelions sous le poids, à bout de souffle. J'ai entendu une porte claquer quelque part, mais je n'ai pas osé regarder. Qu'on le mette là-dedans, ai-je pensé, qu'on le charge et qu'on s'en aille. Je l'ai soulevé avec toute ma force et j'ai balancé l'extrémité du sac de couchage sur la banquette arrière. *Bong.* Alex a lâché l'autre bout et tout le paquet a commencé à glisser mais je l'ai agrippé juste à temps et, à nous deux, on a réussi à le refourrer à l'intérieur.

J'ai claqué les portières.

– Ça va ? ai-je demandé, le souffle coupé.

Elle a acquiescé, les lèvres serrées.

– Allons-y.

En faisant le tour pour monter du côté passager, j'avais ce sentiment idiot que, si je gardais la tête baissée, personne ne me verrait. J'ai réagi et je me suis obligé à lever les yeux pour risquer un rapide regard des deux côtés de la rue. Rien. Vide. La neige. Les réverbères. Les rideaux clos. Personne à sa fenêtre. Je suis monté dans la voiture et j'ai fermé la portière.

Alex cherchait quelque chose sous son siège, elle tirait sur une manette pour essayer de se rapprocher. Mais rien ne bougeait.

– Merde !

Elle a tiré plus fort et le siège a bondi en avant, lui coinçant les jambes contre le volant.

– Merde !

Elle s'est repoussée en arrière jusqu'à l'endroit qui lui convenait, puis elle a attrapé le levier de vitesses à deux mains et a entrepris de le secouer en jurant intensément, son souffle froid se condensant dans l'air.

– Mais vas-y, vas-y, putain de…

– Calme-toi, on n'est plus pressés maintenant.

– Putain de saloperie de truc… là !

Elle a passé brutalement la première, cramponnée à son volant.

– Alex !

– J'y vois rien !

Le pare-brise était couvert de neige.

– Alex ! ai-je répété en lui attrapant le bras.

– Quoi ?

Elle était toute rouge, avec un regard affolé.

– Calme-toi. On n'a pas besoin de se dépêcher. Mets les essuie-glaces.

Elle a tourné un bouton et les phares se sont éteints.

– Merde.

Elle les a rallumés, en marmonnant toute seule.

– Les essuie-glaces, les essuie-glaces…

J'ai tendu la main pour tirer sur une manette et les essuie-glaces se sont mis lentement en route, balayant le pare-brise, ménageant un trou dans la neige.

Alex s'est tournée vers moi, l'air glacial et apeuré à la fois.

– Tout va bien, ai-je dit. Calme-toi.

Sa tension a disparu et elle a souri.

– Désolée.

– Faut pas qu'on nous arrête, ai-je dit. On pourrait avoir quelques difficultés à expliquer ce qu'on fabrique.

– Oui, a-t-elle répondu en s'essuyant le visage d'un revers de main. Je suis désolée. Maintenant, ça va aller.

La neige tombait fort à présent, ce qui était à la fois un bien et un mal. Un bien, parce que cela signifiait qu'il n'y aurait pas grand monde dehors ;

et un mal, parce que se balader en pleine tempête de neige dans une voiture pourrie, conduite par une conductrice trop jeune et survoltée, sans permis ni assurance, avec un cadavre à l'arrière, n'avait rien de séduisant.

– Cool Raoul, ai-je dit. Ni trop vite ni trop lentement. D'accord ?

– Pas de problème.

Nous avons démarré brutalement, accéléré dans la rue et pris le virage en manquant de peu une voiture garée.

C'était parti.

Nous sommes restés le plus possible sur les routes secondaires. Alex gardait le silence, l'air sinistre, concentrée sur le volant, la tête collée au pare-brise, à scruter dehors l'obscurité blanche et brouillée. À intervalles réguliers, elle s'approchait encore plus du pare-brise et disait :

– Où est la route ? Où est passée cette putain de route ?

Je n'aurais pas pu lui répondre, tout me paraissait identique : la route, la neige, le ciel, les haies, les arbres. Je ne distinguais rien. Alex avait l'air de bien se débrouiller, elle braquait le volant dans un sens puis dans l'autre, freinait, jonglait avec les vitesses tout en jurant à voix basse.

Moi, je regardais par la vitre et laissais mon esprit vagabonder.

Encore quatre jours avant Noël. J'ai essayé d'imaginer ce que j'allais faire ce jour-là. Rester seul à la maison et regarder la télévision… toutes ces épouvantables émissions de Noël et ces mêmes vieux films idiots, en mangeant trop, à m'en rendre malade ? Non, ai-je pensé. Pas cette fois. Le jour de Noël, je serai ailleurs. Dans une autre ville, dans un autre pays même. Quelque part où il fait chaud, une plage, des palmiers, le ciel bleu. Avec Alex. Elle se baladera en bikini en sirotant une boisson fraîche et moi je traînerai à ne rien faire, si ce n'est bronzer, vêtu d'un vieux chapeau de paille et d'un bermuda trop large. Et puis, plus tard, je pourrai me promener jusqu'à la plage, tout seul, histoire de piquer une petite tête, peut-être un peu de surf…

– Martyn ? C'est par où ?

Nous étions arrêtés à un carrefour.

J'ai regardé par la fenêtre en essayant de comprendre où nous nous trouvions, mais je voyais uniquement de la neige et les haies qui bordaient la route.

À droite ou à gauche ? À gauche, il me semblait qu'on retournait en ville. À droite, la route aurait pu être celle qui menait au pub où papa avait oublié son portefeuille. La vieille carrière était sans doute quelque part par là. J'ai descendu la vitre pour mieux voir. Une bourrasque de neige m'a assailli.

– Martyn !

J'ai remonté la vitre.

– Je croyais que tu connaissais le chemin !

– Oui, ai-je dit, si je savais où nous sommes, je saurais par où aller.

– Génial.

Brusquement, l'intérieur de la voiture s'est retrouvé éclairé et nous nous sommes retournés tous les deux pour voir des phares approcher par-derrière.

– Merde, a dit Alex.

– Prends à droite.

– T'es sûr ?

La voiture arrivait derrière nous.

– Vas-y.

Elle a enclenché brutalement la première et tourné à droite. Dans le rétroviseur, j'ai observé l'autre voiture mettre son clignotant à gauche et s'éloigner.

– Elle est partie, ai-je commenté.

Nous avons continué. Plus on avançait, moins j'étais sûr que nous avions choisi la bonne direction.

– Mais putain, où est-ce qu'on est ? a marmonné Alex. Si on continue comme ça, on va tourner en rond toute la nuit.

– Je crois qu'on aurait dû tourner à gauche, ai-je dit.

– Quoi ?

– Je crois savoir où on est maintenant. Au carrefour, on aurait dû prendre à gauche. Arrête-toi et fais demi-tour.

Elle n'a rien dit, mais je voyais bien qu'elle était furieuse. La route devenait de plus en plus étroite, les haies épaisses se resserraient. Il n'y avait nulle part où tourner.

– Désolé.

Elle a pilé brutalement en braquant le volant. La voiture a foncé dans la haie.

– Qu… ?

– Il y a une barrière.

J'ignore comment elle l'avait repérée mais c'était vrai. À l'entrée d'un champ, il y avait juste assez de place pour s'arrêter et faire demi-tour. Elle est passée en marche arrière, a reculé sur la route, les roues ont mordu la neige et puis on est repartis dans la direction d'où on venait.

Je lui ai jeté un coup d'œil et j'ai vu qu'elle souriait.

– Pas mal, ai-je commenté.

– Ouais, a-t-elle dit en hochant la tête, mais ne recommence pas à nous perdre.

Au carrefour, on a continué tout droit. La route a commencé par descendre, puis elle est remontée le long d'une pente ardue. À mi-côte, le moteur s'est mis à vibrer.

– Change de vitesse, ai-je suggéré.

– C'est déjà fait.

Nous avancions à quinze à l'heure.

– Tourne à gauche en haut.

Au loin, j'apercevais le sommet des grues, tiges sombres dressées dans la nuit. La carrière. Nous avons redescendu la colline, nous sommes passés devant le pub, puis nous avons encore remonté et le moteur gémissait sous l'effort. Une autre route étroite, d'autres haies hautes et noires, des panneaux annonçant des entrées cachées. Je scrutais les ténèbres, guettant le sentier qui menait au puits. C'était quelque part par là.

– Ralentis, ai-je dit.

Nous avons ralenti.

– Là.

– Où ça ?

– Là, à gauche.

Elle a failli le rater mais elle a réussi à s'arrêter au dernier moment, à côté d'une barrière métallique rouillée.

– C'est ça ?

– Éteins les phares, je vais ouvrir la barrière.

Je suis sorti dans l'obscurité froide. Sous mes pieds, la terre était gelée. Un vent violent rabattait la neige sur mon visage. J'ai vérifié qu'aucune voiture n'était en vue, j'ai remonté mon capuchon et, parvenu à la barrière, je l'ai ouverte avant de faire signe à Alex de passer en marche arrière. Pendant qu'elle manœuvrait, je restais à l'affût d'un éventuel véhicule. Rien. Pas de voitures, pas de phares, rien que le long ruban noir de la route qui venait couper de façon sinistre le paysage désertique. Des terrains vagues. Des kilomètres de terres épuisées, raclées, creusées, à bout de ressources. Rien qu'un gros trou à la périphérie de la ville.

Je me suis dépêché de remonter dans la voiture.

– OK, ai-je dit.

– Où ça ?

– Par là-bas, ai-je répondu en indiquant la vitre arrière.

– Il fait un peu noir, non ?

J'ai haussé les épaules.

– Il n'y a rien là-bas, Martyn, il fait un noir d'encre.

– Vas-y, ai-je insisté, c'est tout droit.

– T'es sûr ?

– Fais-moi confiance.

Lentement, très lentement, nous avons reculé dans le sentier, tournés dans nos sièges pour scruter l'obscurité par la vitre arrière. Alex avait raison, il faisait très sombre. Pas de lune, pas d'étoiles, le noir total. Nous reculions au pas et le moteur poussait ce gémissement aigu caractéristique de la marche arrière. Bizarrement, ce bruit avait quelque chose de réconfortant.

– C'est encore loin ?

– Non, ai-je répondu, espérant ne pas me tromper.

– Si on fonce dans un grand trou sale rempli d'eau glacée…

– Regarde où tu vas, Alex.

– C'est ce que je fais !

J'ai cru apercevoir le reflet de quelque chose. Quelque chose d'encore plus noir que tout le reste.

– Stop !

Elle a enfoncé le frein. La voiture a dérapé de façon angoissante pendant quelques interminables secondes avant de s'arrêter.

– C'est là ?

J'ai scruté la nuit. Y avait-il quelque chose ? J'ai fermé les yeux, puis je les ai rouverts. Peut-être bien que oui.

– Tu vois quelque chose ? ai-je demandé.

– Je crois… juste là en bas.

Plus mes yeux s'accoutumaient à l'obscurité, plus les ombres devenaient claires. Un trou dans la terre. Profond. Noir. Aux pentes escarpées. Assez gros pour avaler un autobus et un peu trop proche pour se sentir à l'aise.

Nous avons échangé un regard.

– On y est, ai-je dit.

– Des pierres.

– Quoi ?

– Où es-tu ? ai-je demandé, en scrutant les ténèbres.

– Ici.

Je ne parvenais pas à la voir.

– On a besoin de pierres, ai-je répété.

– Pourquoi ?

En me tournant vers le son de sa voix, j'ai aperçu une vague silhouette debout au bord du puits, la tête baissée.

– Pour faire des poids, ai-je expliqué en me dirigeant vers elle. Pour lester le sac de couchage, autrement il va flotter.

– Je crois pas, a-t-elle répondu.

J'ai suivi son regard et j'ai regardé le fond du trou.
Dans ses profondeurs d'un noir d'encre, luisait de la
glace. Alex a ramassé un caillou et l'a balancé dedans.
Nous avons attendu… jusqu'à entendre un bruit creux
au moment où le caillou touchait la glace, rebondissait
et dérapait sur la surface gelée.

– Des pierres, ai-je encore répété.

Et dans les ténèbres glacées, nous nous sommes mis
à la recherche de pierres. Il neigeait fort, le froid était
pénétrant. On dérapait sur la terre inégale et gelée à
cœur. L'endroit était jonché de racines mortes et de
débris de vieux outils. Et il faisait noir comme dans
un four.

Mais je me sentais bien. J'avais la tête claire comme
du cristal, je savais exactement où j'en étais. Le froid,
l'obscurité, le danger – ça n'avait pas d'importance.
J'étais concentré sur mon objectif. Je suivais mon
plan. Et voilà tout. J'agissais. Pour la première fois de
ma vie, j'agissais pour de bon.

Au bout de dix minutes, nous avions déjà rassemblé
un bon petit tas de pierres. Je me suis penché pour en
ramasser une vraiment grosse, je l'ai soulevée à deux
mains et hissée au-dessus du puits. Cette fois, nous
avons entendu un craquement satisfaisant – un bruit

sec et cassant qui a résonné de façon sinistre entre les parois du trou – suivi immédiatement d'énormes éclaboussures quand la pierre a transpercé la glace.

– J'adore ce bruit, ai-je dit.

On en a encore balancé une bonne demi-douzaine pour être sûrs que la glace était bien pulvérisée.

– Ça ira, ai-je dit. Allez, on le sort.

Alex a ouvert les portières arrière, j'ai attrapé le sac de couchage et je l'ai tiré. Il est tombé par terre avec un bruit sourd. Je me suis accroupi et j'ai entrouvert la fermeture Éclair.

– Des pierres, ai-je réclamé.

Alex me les a tendues et je les ai fourrées dans le sac. Une voiture est passée en vrombissant sur la route au-dessus de nous et nous nous sommes immobilisés. Deux phares jaunes sont apparus, éclairant la neige qui tombait, puis ils ont disparu. J'ai repris ma tâche.

– Quelle heure est-il ? ai-je voulu savoir.

Elle a approché sa montre de ses yeux.

– Huit heures moins le quart.

J'ai rajouté une dernière pierre dans le sac, puis je l'ai refermé.

– Donne-moi un coup de main. Il va falloir le tirer.

Nous nous sommes penchés pour attraper chacun un coin du duvet.

– Prête ?

Elle a acquiescé d'un hochement de tête.

– Un, deux, trois, on y va !

Ainsi lesté, le duvet était devenu beaucoup plus lourd, mais une fois partis, ce n'était pas si terrible ; on a tiré quatre ou cinq fois énergiquement et on s'est retrouvés au bord du trou.

On devait avoir l'air de sortir tout droit d'un vieux film d'horreur ; scène dans le cimetière, en plein hiver, au cœur de la nuit, deux malandrins tirant sur la terre gelée un corps tassé dans un duvet rempli de pierres…

Cette image m'a fait sourire.

Un croissant de lune a surgi de derrière le linceul sombre des nuages chargés de neige. Pâle et silencieux. On a entrevu le paysage sinistre de la carrière. De grands monticules de terre morte, des tranchées hâtivement creusées, des terrains plats et nus, des bidons d'huile vides, des débris d'outils, des grues rouillées, des escarpements écroulés. Par-ci par-là, la nature reprenait ses droits. Des bouquets d'herbe sauvage oscillaient dans le vent et le terrain était parsemé d'arbustes sombres et trapus. Le désert allait renaître. Tout était d'un gris crépusculaire, décoloré dans la lumière pâle de la neige et de la lune. Puis les nuages se sont refermés, le clair de lune a disparu et tout est redevenu noir.

– Ça va, Martyn ? a tranquillement demandé Alex.

J'ai plongé mon regard dans les profondeurs du trou : l'eau attendait, froide, lointaine et sombre.

– Je ne me suis jamais senti aussi bien.

Puis, d'un coup de pied, j'ai envoyé le sac de couchage dans le trou.

Silence.

Le vent sifflait doucement dans les herbes.

Un énorme splaaash est parvenu d'en bas.

J'ai prêté l'oreille. Des bruits de gargouillements et de bulles ; le sac coulait à pic. En esprit, je voyais le duvet détrempé disparaître lentement dans l'eau glacée, noire et profonde. Papa, mort et enseveli, insensible, tombait au ralenti, s'enfonçant dans le liquide froid et sombre pour se poser enfin sur les pierres, la vase, les chariots de supermarché et les cadres de vélo rouillés qui gisaient au fond du puits. Figé et silencieux, bien enveloppé dans son cocon, invisible dans l'eau gelée.

Enseveli.

Disparu.

Il ne dormait pas, il était mort.

Une fois dans la voiture, Alex a tourné la clé pour démarrer. Le moteur a gémi et toussé, puis il s'est tu. Elle a réessayé. Rien.

– Pas de problème, a-t-elle déclaré, il fait toujours comme ça.

Elle a tiré sur le starter avant de recommencer. Cette fois, le moteur a démarré et elle l'a fait vrombir, lâchant dans le vent un nuage de fumée gris-bleu. Elle a enclenché une vitesse, ôté le frein à main et enfoncé l'accélérateur. Les roues arrière ont commencé à tourner. J'ai senti la voiture déraper latéralement et glisser vers le puits. Nous allions rejoindre papa dans son tombeau liquide… mais Alex n'a pas lâché la pédale et brusquement, nous avons fait un bond en avant et nous sommes partis.

Remonter la colline, franchir la barrière. Nous nous sommes arrêtés. J'ai sauté de la voiture pour refermer la barrière derrière nous. J'ai jeté un ultime coup d'œil aux ténèbres.

– Allons-y, ai-je dit en reprenant ma place.

Nous sommes revenus sur la route, je me suis avachi dans mon siège en contemplant, hypnotisé, le ballet – *clic clac* – des essuie-glaces. Des flocons de neige tombaient et se faisaient balayer – *clic clac clic clac clic clac*. Un vrai métronome. Dans la voiture, il faisait bon parce qu'elle était chauffée par le mouvement du moteur. Il y faisait chaud et douillet. À donner envie de s'assoupir. On se laissait bercer par le bourdonnement du moteur et le doux chuintement des pneus sur la route couverte de neige. Dehors, on apercevait au passage la masse confuse des haies et des flocons de neige qui repartaient là d'où on venait. Je me sentais baigné dans un bien-être tiède. Satisfait, heureux, en sécurité.

On rentrait à la maison.

On l'avait fait.

Je l'avais fait.

Cela vous paraît sans doute bien pire que ça ne l'était en réalité. Ce que j'ai fait. Mais on est étonné de ses propres capacités lorsqu'on se trouve au pied du mur. On est étonné de constater à quel point les choses sont faciles. Une fois qu'on a accepté l'idée d'agir de telle ou telle façon, peu importe laquelle, en général on y parvient. On agit et voilà tout. C'est ainsi que cela se passe. Et en plus, qu'ai-je fait de répréhensible en l'occurrence ? Dites-le-moi. À qui ai-je nui ? À personne. Ce n'est pas comme si j'avais enfreint un des dix commandements. Où est-il écrit « Ton père au fond d'une carrière tu n'enseveliras pas » ? Regardons la situation de près, analysons mes actes. Ai-je tué ? Ai-je volé ? Ai-je commis l'adultère ? Ai-je convoité le bien de mon voisin ? Ai-je honoré mon père ? Peut-être pas. Mais bon Dieu, pourquoi aurais-je dû le faire ? Lui, il ne m'a jamais honoré. L'important, c'est que je n'ai jamais nui à quiconque. Et de quoi d'autre s'agit-il, après tout ? La souffrance et la douleur. Physique, mentale, n'importe quelle forme de souffrance. C'est ça qui est mal. On a le droit de faire tout ce qu'on veut – tant qu'on ne blesse rien ni personne, on peut considérer que ça va.

Une longue route droite s'étendait devant nous. Des lignes parallèles formant un halo de lumière blanche allaient nous mener jusqu'à la périphérie de la ville. On y était presque.

– Alex ?

– Hmmm ?

– Qu'est-ce que tu en dis ?

– De quoi parles-tu ? a-t-elle répliqué en me regardant en biais.

– De Dean.

Elle a serré les lèvres et tourné à nouveau son attention vers la route.

– Je n'ai pas envie d'en discuter.

– Je voudrais seulement savoir ce que tu penses de lui.

– Quoi ?

– Comment tu le trouves ?

– À ton avis ?

– J'en sais rien, c'est pour ça que je te pose la question.

– J'ai l'impression d'être une vraie merde, si tu veux savoir, a-t-elle répondu en changeant de vitesse d'un air plein de colère. C'est un salopard. D'accord ? Je le déteste.

– Quand même, avant, tu devais bien l'aimer.

– Ouais ?

– Autrement, tu serais jamais sortie avec lui.

– Tu peux pas comprendre.

– Pas sûr.

Je l'observais du coin de l'œil. Son visage était un masque.

– Tu es trop jeune, riposta-t-elle. Tu peux pas comprendre.

Elle ne cherchait pas à être méchante, c'était simplement sorti comme ça.

– Comment je peux comprendre si tu m'expliques pas ? ai-je demandé doucement.

Elle a froncé les sourcils.

– Écoute, c'est que… je sais ce qu'il vaut, d'accord ? Je l'ai toujours su. Il est idiot… ennuyeux… égoïste. Il est même pas beau. Je le sais.

– Alors, pourquoi tu es sortie avec lui ?

– Parce que…

– Parce que quoi ?

– Parce que, c'est tout, Martyn ! D'accord ? Parce que.

J'ai préféré ne pas insister. Parce que si je continuais, elle allait se mettre en colère ou bien fondre en larmes. De toute façon, je voyais assez clairement ce dont elle parlait et je n'avais pas vraiment envie de l'entendre. Mais avant de la boucler, il me restait encore une chose à dire.

– Il va pas avoir l'argent, quand même, hein ?

Lentement, elle s'est tournée vers moi en souriant. Un sourire triste et déterminé.

– Oh non, a-t-elle dit. Il n'aura pas l'argent.

Et puis elle s'est mise à rire, un rire étrangement froid, presque haineux. Si ça n'avait pas été Alex, je crois que j'aurais eu peur.

Nous avons effectué le reste du chemin en silence, chacun de nous perdu dans son petit univers. J'étais fatigué – épuisé. Trop fatigué pour réfléchir.

La journée avait été longue. Très longue. J'avais mal aux jambes. Toute cette promenade sur la plage, cette course. Était-ce seulement ce matin ? J'avais l'impression qu'une vie s'était écoulée depuis. Brièvement, le souvenir de papa dans sa robe d'épouvantail m'a traversé l'esprit. Le fabricant de neige, vacillant sur la plage. Seigneur ! J'ai rejeté cette image. Ce qui avait eu lieu avait eu lieu. C'était terminé. Fini. Disparu. On oublie. On passe à autre chose.

J'avais trop de choses auxquelles penser. Je désirais seulement rentrer chez moi me coucher. Demain, il serait temps de réfléchir. Le dimanche est un bon jour pour réfléchir. J'allais passer une journée tranquille à réfléchir, à mettre tout à plat. Seul. Dans ma maison.

– Tu ferais mieux de me laisser là, ai-je dit lorsque nous sommes arrivés près de notre rue. Il vaut mieux qu'on ne nous voie pas ensemble dans la voiture.

– C'est un peu tard pour ça, a répliqué Alex.

Elle s'est quand même arrêtée. Je suis descendu. Le ciel nocturne s'était éclairci. La neige avait cessé. Les étoiles brillaient par milliers. La poussière cosmique.

– À demain, ai-je dit, les jambes flageolantes.

– D'accord.

J'ai claqué la portière, fait un pas de côté et regardé la voiture s'éloigner sur un coup de klaxon ; clignotant à droite, puis à gauche, virage au beau milieu de la route et tout droit dans notre rue.

J'ai enfoncé mes mains dans mes poches et levé les yeux vers les étoiles. Tout est déterminé, le début autant que la fin, par des forces sur lesquelles nous n'exerçons aucun contrôle.

Bon, ai-je pensé, c'est comme ça.

5.

DIMANCHE

Ding dong ding dong ding dong… putain de cloches d'église ! Tous les dimanches matin, ils s'y mettent, ces bon Dieu de sonneurs, à faire sonner leurs cloches comme des malades mentaux. Ça me dérangerait pas s'ils jouaient vraiment un air, mais ils en sont incapables, ils n'en connaissent pas un seul. Tout ce qu'ils font, c'est *ding dong ding dong ding dong* pendant des heures, la même vieille rengaine à répétition – *ding dong ding dong ding dong.* Ils savent donc pas qu'on est dimanche ? Les gens essayent de dormir.

L'église se trouve de l'autre côté de la grande rue, en face du chantier de bois. Un endroit vieux et sale, au toit recouvert de plaques de plastique bleu et dont on distingue à peine les murs cachés derrière des échafaudages rouillés. Devant, il y a un cimetière abandonné, rempli de mauvaises herbes, où des pierres tombales en morceaux s'effondrent comme des ivrognes au milieu d'une jungle rampante. C'est une église fantôme. Personne n'y va jamais, les sonneurs de cloche exceptés. Je les ai aperçus une fois, un groupe de barbus, genre végétariens sinistres, avec des grands bras. Des bras de carillonneurs. Peut-être qu'ils picolent dans leur clocher – on pourrait rebaptiser l'église *Au Bon Carillonneur*. Ah ! ah !

Il était près de onze heures.

En dépit du froid, j'avais laissé les fenêtres ouvertes toute la nuit. Pelotonné sous la couette, j'étais bien au chaud, tandis que le vent glacé piquait agréablement mon visage découvert. J'inspirais l'air que j'envoyais jusqu'au fond de mes poumons. Ça ne sentait rien – ni la fumée de cigarette, ni la bière éventée, ni le whisky, ni les vêtements trempés de sueur, ni le Vicks, ni le cadavre – rien que l'air froid de décembre.

Magnifique.

Les cloches ont cessé de carillonner et un silence de mort s'est installé. Un silence de neige. On sait quand il a neigé. Ça amortit tous les bruits, ça étouffe tout. Je suis resté couché là à écouter. Un bruit doux et blanc.

Au bout d'un moment, je me suis extrait du lit.

Il faisait un froid de gueux. Tout nu, j'ai filé à la fenêtre pour regarder dehors. J'avais raison. La rue était couverte de neige. Blanche et brillante, encore intacte. J'ai souri. Tout était propre et blanc – les voitures, les murs, la rue, le trottoir. Toute la crasse et la saleté étaient dissimulées sous une couverture de neige pure et blanche.

Mais ça n'allait pas durer. Les voitures qui roulaient, les voisins qui sortaient armés de pelles et de balais, les camions gravillonneurs qui répandaient du sable et du sel partout – d'ici cet après-midi, il ne resterait plus qu'une bouillasse détrempée et grisâtre. Pourquoi ne pas laisser les choses en l'état ? Ce n'est que de la neige. Pas une invasion de sauterelles ou de je ne sais quoi. La même chose se produit en automne, lorsque les feuilles tombent. Pourquoi ne pas les laisser où elles sont ? Pourquoi se précipiter pour ramasser la moindre petite feuille qui tombe par terre ? Et ça balaye, et ça ramasse, et ça entasse, et qu'on les brûle ! Brûlez ces casse-pieds ! Il faut tout brûler avant qu'il soit trop tard !

Ils sont tous fous.

J'ai fermé la fenêtre et je me suis habillé.

Pour le petit déjeuner, je me suis préparé des œufs à la coque et des mouillettes. Trois œufs, quatre tranches de pain, et une théière entière. Une théière, pas seulement une tasse, avec du vrai thé, en vrac, dans un paquet. Impossible de me souvenir combien de cuillerées il fallait mettre. Quelqu'un m'a expliqué une fois : une par tasse plus une pour la théière. C'est bien ça ? J'ai mis deux cuillerées dans la théière mais ça m'a semblé insuffisant, alors j'en ai rajouté une. Je pouvais faire comme bon me semblait. J'ai même mis la table dans la cuisine. Nappe, set de table, cuillère, sel et poivre.

Quoi encore ? La radio. Je l'ai allumée en mettant le son assez bas. Desert Island Disc, le programme de Radio 4, murmurait en arrière-fond. Le temps que mes œufs cuisent, je me suis demandé ce que j'aurais envie d'emporter si je devais me retrouver bloqué sur une île déserte. Pour commencer, je ne m'embarrasserais d'aucun CD. Parce que, si on n'a droit qu'à huit, on ne doit pas tarder à en avoir ras le bol. Ils doivent même vous taper sur les nerfs. Donc, pas de CD. Ce qui m'a laissé avec un livre et un objet de luxe. Quel livre pourrais-je bien prendre ? Sherlock Holmes ? Raymond Chandler ? Agatha Christie ? J'apprécie des tonnes de livres, mais à quoi bon choisir ? Un seul livre ne sert pas à grand-chose. Une fois qu'on l'a lu une bonne demi-douzaine de fois, on peut aussi bien le jeter. Non, je ne prendrai pas non plus de livre. Ce qui m'a laissé avec un objet de luxe. Quelque chose sans la moindre valeur pratique. Qu'est-ce que j'aime ? Qu'est-ce que j'aime vraiment ? Réfléchis. Allez, Martyn, il doit bien exister quelque chose, non ? Les yeux fixés sur la casserole d'eau bouillante, j'observais les œufs en train de cuire. La fumée me montait dans les yeux. L'eau bouillait, les œufs venaient taper contre les parois de la casserole. Un objet de luxe ? Rien ne me venait à l'esprit. Je ne souhaitais emporter aucun objet sur mon île déserte, aucun.

Le minuteur a sonné et j'ai éteint le gaz.

Après le petit déjeuner, je suis allé au salon. À présent que je me retrouvais seul, c'était un endroit tranquille. Merveilleusement tranquille. Mais étrangement peu familier. Comme s'il s'agissait du salon de quelqu'un d'autre. Il y avait quelque chose dans cette pièce, je ne sais pas quoi. Toujours le même vieux salon – sinistre, légèrement décati, démodé – mais avec quelque chose de changé. Quelque chose... la lumière peut-être qui entrait par la fenêtre, claire et pleine de neige. Brillante, mais pas tant que ça. Non, pas la lumière. Peut-être la pièce en elle-même ? Je me suis écroulé sur le canapé et j'ai laissé mon regard errer, étudiant les choses, absorbant ce qui m'entourait. J'ai examiné les murs nus. Le papier peint mince, vert triste et sans vie, pâli par des années de faible soleil, presque transparent. J'ai regardé le fauteuil de papa, mon fauteuil. À haut dossier, usé, d'une couleur brun-gris sale, la couleur qu'on obtient quand on mélange ensemble toutes les couleurs de la boîte de peinture. Le fauteuil me rendait mon regard comme un chien battu dont le maître est mort. Abandonné. J'ai détourné les yeux. En face, la grosse télévision, vieille et stupidement perchée sur ses quatre pieds effilés – comme un objet sorti des années 50, une télévision pour rire. Un monstre à l'œil carré avec des gros boutons de contrôle alignés d'un côté. Nous ne possédions pas de télécommande. Une fois, j'avais demandé à papa si on pouvait en acheter une.

Il m'avait répondu de ne pas être aussi lamentablement mou, les télécommandes, c'était bon pour les gonzesses.

J'ai baissé les yeux et regardé le tapis – j'y ai vu le reflet des murs – vert pâle, épais comme du papier à cigarette et minable. Au-dessus de moi, le plafond – blanc jaunâtre, obscurci de nicotine comme un ciel toxique.

C'est insensé à quel point on peut vivre dans un endroit des années durant sans même le connaître.

Contre le mur du fond, se dressait une grande vitrine en bois, raide comme une sombre sentinelle. Papa en était très fier.

– C'est du chêne, tu sais, disait-il.

Mais il mentait. Les portes vitrées étaient toujours fermées à clé, comme si l'armoire contenait quelque chose de précieux. En fait, rien que des babioles, des statuettes en porcelaine bon marché, des supports à assiette vides, une chope à bière en étain sur laquelle était gravé le nom de quelqu'un d'autre, un trophée de fléchettes, un coffret-présentoir de pièces de monnaie où manquait la moitié de la collection. Des rebuts rassemblés au hasard.

La table du téléphone près de la porte, moche et éraflée. Des petits bouts de papier épars, des numéros de téléphone griffonnés, des cartes de compagnies de taxis, deux stylos mâchonnés dans un gobelet en plastique. Et le téléphone, noir et muet, qui attendait toujours. Vas-y, avant qu'il ne soit trop tard.

Il était trop tard.

Et la cheminée. Un foyer artificiel, du faux charbon, une parure en cuivre terni. Des fausses flammes, d'un orange improbable, sans chaleur. Un feu froid. Lorsqu'il n'était pas branché, c'était l'objet le plus glacé du monde. Sur un côté, une potiche ébréchée avec un tison tordu. Un sol en carrelage rouge brique. Cette bordure de pierre grise. Des cubes uniformes collés ensemble pour former un puzzle bien laid. La cheminée. Je me suis souvenu du bruit, l'os heurtant la pierre, le craquement creux. La pierre. Froide, dure, propre et mortelle.

Et sur le manteau de la cheminée, l'horloge avançait lentement.

Midi.

Cette pièce.

Quelque chose d'impalpable. J'ignore de quoi il s'agissait.

J'ai tendu la main vers le téléphone et composé le numéro d'Alex. Une voix rauque et profonde m'a répondu.

– Allô ?

– Mrs Freeman ?

– Bonjour, Martyn. Comment vas-tu ?

– Bien merci. Alex est là ?

– Elle est sortie il y a une heure environ.

– Ah !

Silence au bout du fil.

– Vous savez où elle est allée ?

– Non, désolée.

– Ah !

– Tu veux que je lui dise que tu as appelé ?

– D'accord.

– Je la préviens dès qu'elle rentre.

– D'accord.

– Au revoir.

J'ai raccroché.

De toute façon, j'avais quelques sujets de réflexion. Il fallait que je mûrisse mon plan. Comme la plupart des plans, s'il n'était pas parfait, il approchait de la perfection.

L'ennui, avec les plans, c'est qu'on doit prendre en compte des circonstances imprévisibles. On a beau tout prévoir, il y a toujours un risque qu'on se retrouve confronté à une chose à laquelle on n'avait pas pensé. Quelque chose d'inattendu. Donc, il faut explorer toutes les possibilités – et si ce truc se produisait, si ceci, si cela et puis ça et puis ci ? Bien sûr, il est impossible de tout envisager – il peut se produire des milliards de choses – mais il faut être prêt à réagir si, par hasard, la situation basculait brutalement dans une autre direction. Des plans d'urgence, voilà le truc important. On ne doit pas se reposer uniquement sur le plan A, même si on pense qu'il est génial. Il faut en avoir d'autres dans la manche. On a besoin d'un plan B, d'un plan C, d'un plan D, E, F, G… Un alphabet entier de plans. Pour parer à toute éventualité.

Deux heures plus tard, tout bien pesé, j'ai rappelé Alex. Le téléphone a sonné en vain. L'écho d'une maison vide.

Bon…

Je déteste ça. Ne pas savoir où se trouve quelqu'un. Ça m'agace.

Cinq heures. Il fait noir. L'obscurité d'un dimanche-soir-de-décembre. Une obscurité d'hiver. La nuit descend vite – je l'ai observée par la fenêtre de la chambre. Le coucher du soleil. Le disque rouge sang qui se découpe contre un ciel plat. Le ciel, une terne lueur gris pâle. Le soleil qui disparaît à l'horizon en lançant des fils de couleur à l'assaut des ténèbres, comme un homme qui se noie bat des bras à la recherche de quelque chose qui n'est pas là. Puis il s'enfonce, immense et parfait, se consumant dans l'aube d'un autre temps, d'un autre univers. Et lorsqu'il a disparu, l'eau noire et patiente de la nuit s'infiltre et la lune en profite pour monter.

J'ai tout regardé. D'un bout à l'autre. Les couleurs. Les étoiles. J'ai observé les mouvements des cieux. Cela m'a fait comprendre à quel point j'étais petit.

J'ai encore rappelé Alex à six heures. Cette fois, j'ai laissé sonner vraiment longtemps. Toujours pas de réponse. J'ai insisté encore, en imaginant l'écho solitaire du téléphone à l'autre bout. *Piiip-piiip-piiip-piiip...* Quelqu'un écoutait-il ?

J'ai posé le combiné, toujours décroché, sur la table, je suis allé dans l'entrée, j'ai enfilé mon bonnet et mon manteau et je suis sorti. Une poussière de neige voletait dans l'air, tombant des toits. Tête baissée, j'ai traversé la rue en donnant des coups de pied indifférents dans des paquets de neige salie et je me suis dirigé vers chez Alex. Je me suis arrêté devant. Pas de voiture, pas de lumière. Rideaux tirés. J'ai prêté l'oreille et j'ai distingué la sonnerie du téléphone. C'est moi, ai-je pensé en souriant. Je suis resté là un petit moment, à regarder, à examiner les lieux. Il n'y avait personne chez elles. J'ai fait demi-tour et je suis rentré chez moi.

J'ai allumé la télévision, zappé sur les différentes chaînes avant d'éteindre le poste. Ça produisait un bruit agaçant : tout le monde criait, une musique idiote, les pubs. Ce soir, je mangerais bien du poulet...

Je suis resté assis, dans l'obscurité.

On entendait régulièrement des petits bruits inexplicables – le craquement d'une latte au premier, un léger bourdonnement, quelque chose qui bougeait quelque part – des ombres de bruit. Je n'y prenais pas garde. Il en faut plus pour me perturber. Les fantômes et les revenants, ça vaut pas un clou. Ça n'existe pas. Sauf dans les films et dans les livres. Pas dans la vraie vie.

Papa était mort, voilà tout. Disparu. Le sac de couchage tombé au fond d'un puits ne contenait qu'un paquet d'os et de chair détrempée. Une enveloppe vide. Même si je ne sais pas comment appeler ce qu'était papa – son être, son âme, son moi, choisissez le mot qui vous convient – cela s'était envolé comme une volute de fumée à l'instant où sa tête avait heurté la cheminée. Envolé purement et simplement. Où ? Qui le sait ? Qui ça intéresse ? Pas moi. Quel que soit l'endroit où c'était parti, ce n'était plus ici.

Cette maison est vide.

Neuf heures.

J'ai regardé l'aiguille des secondes progresser lentement sur le cadran rond. Puis celle des minutes, je ne l'ai pas quittée des yeux en essayant en vain de la voir bouger.

Neuf heures cinq.

À neuf heures et demie, une voiture s'est arrêtée de l'autre côté de la rue. J'ai foncé au premier dans ma chambre et j'ai épié par une fente des rideaux, dans l'espoir de voir Alex et sa mère. Ce n'était pas la Morris mais une Escort de couleur sombre. Deux hommes étaient assis à l'avant, leurs visages à peine éclairés par la lumière intérieure. Âgés tous deux d'une vingtaine d'années, l'un avec une crinière de cheveux roux et frisés et une figure grêlée, l'autre sombre et anguleux. Je ne les ai pas reconnus. Ils étaient en train de discuter. Rouquin a ouvert une espèce de sac ou de portefeuille et a passé quelque chose à Sombre. De l'argent ? Rouquin a ri, révélant une bouche remplie de solides dents blanches. L'autre a mis ses mains en coupe autour d'un briquet pour allumer une cigarette. Puis ils sont tous deux sortis de la voiture, ils ont claqué les portières et se sont mis en marche d'un pas traînant, sans cesser de hocher la tête et de marmonner entre eux. Ils devaient aller chez Don. Don vend de la drogue. Il vit dans une vieille maison mitoyenne minable juste après la grande rue. Ses rideaux sont toujours tirés et un énorme chien blanc aboie comme un fou chaque fois qu'on passe devant la porte. Don n'est pas désagréable. Je le croise parfois quand il promène son chien près de la rivière. Il me fait toujours un sourire et un signe de tête, et ses yeux de mouche roulent dans tous les sens. Il n'est pas désagréable. Ses clients se garent souvent dans la rue devant chez nous. C'est moins voyant que dans la rue principale, je suppose.

J'ai observé la voiture un petit moment pour voir s'ils allaient revenir, mais non. La rue demeurait tranquille.

J'ai laissé retomber le rideau et je me suis allongé sur le lit.

Quand j'étais gosse, je pensais souvent à ma mort. Couché dans mon lit, la nuit, la tête sous les couvertures, j'essayais d'imaginer l'absence totale de tout. Plus de vie, plus de lumière ni d'obscurité, rien à voir, rien à sentir, rien à savoir, plus de temps, plus de où ni de quand, plus rien, pour toujours. Tellement inimaginable que c'en était terrifiant. Je restais pendant des heures allongé dans le noir à scruter interminablement les ténèbres, cherchant le vide, mais je n'ai jamais pu voir que le noir noir noir noir qui s'enfonçait dans l'espace sur des millions de kilomètres, et je savais que j'étais loin du compte. Je savais que, lorsque je mourrais, il n'y aurait plus ni noir ni millions de kilomètres, qu'il n'y aurait même plus de rien, ce serait moins que rien, et cette seule pensée suffisait à emplir mes yeux de larmes.

Les années ont passé, mes larmes ont séché, mais régulièrement, elles réapparaissent et dans ces cas-là, je me rends compte que pas grand-chose n'a changé – je suis toujours le même gosse couché dans son lit le soir à la recherche du vide.

Voilà quatorze ans que je dors dans cette chambre. Que j'y dors, lis, rêve ou pleure. Avant, elle était bourrée de bazar – des jeux, des jouets, des cartons remplis de bandes dessinées, des vêtements, des images, des posters – mais il y a un an environ, j'ai presque tout jeté. Mon vieux bazar. J'en avais ras le bol. Un samedi après-midi, je me suis procuré deux immenses sacs pour déchets de jardin, des extra-forts et j'ai empilé dedans ce dont je ne voulais plus. Ensuite, je les ai trimballés jusqu'à la décharge et je les ai laissés tomber dans une benne.

Maintenant la chambre est vide et l'espace dégagé ; exactement ce qui me plaît. Un lit, une armoire, un miroir. Les livres alignés sur l'étagère contre le mur. Une table et une chaise. Et ça suffit. Des murs blancs unis. Pas d'images, pas de posters, pas de déco. Joli et propre. Fonctionnel.

J'ai fermé les yeux. J'ai posé les mains sur mon visage et appuyé sur mes paupières pour faire apparaître des motifs de couleurs dans l'obscurité totale de mon aveuglement. D'invraisemblables échiquiers rouge fluo et bleu électrique. Des barres lumineuses d'un blanc aveuglant, des éclairs, des étincelles, des étoiles fluorescentes. D'étranges géométries de couleurs – pyramides violettes, carrés brun de Sienne et champs lilas. Et même des choses dont je n'avais encore jamais vu la couleur. Des couleurs qui n'avaient pas de nom. C'était trop. J'ai ôté mes mains de mes yeux et fixé le plafond sans le voir. Au bout d'une ou deux minutes, les motifs et les couleurs se sont affaiblis et j'ai retrouvé la vue.

J'avais mal aux yeux.

J'ai tourné mes réflexions vers le lendemain. Dean devait passer à midi prendre l'argent. Je me suis demandé à quoi il était en train de penser, lui. Était-il sûr de son coup ? Excité ? Inquiet ? Effrayé ? Croyait-il avoir prévu toutes les éventualités ? Croyait-il que les choses allaient être simples ? Comme s'il s'agissait de prendre un bonbon à un bébé ?

– Dean, Dean, Dean… ne sais-tu pas que les bébés mordent ?

Le téléphone a sonné.

J'ai bondi du lit, couru en bas et décroché en hâte.

– Allô ?

– Martyn ?

– Alex !

– Tu te sens bien ? On dirait que tu es essoufflé.

– J'étais en haut, ai-je expliqué en tentant de me calmer. Où étais-tu passée ?

– Sortie avec maman. Désolée, je voulais te prévenir hier. J'ai oublié.

Ce matin, ce n'était pas avec sa mère qu'elle était sortie.

– Où es-tu allée ? ai-je voulu savoir.

– Chez Mary. Tu sais, sa copine de l'hôpital, celle avec les chevaux.

Les chevaux ? Ah oui !

– En tout cas…

– Tu passes ?

Elle n'a pas répondu. Dans le fond, j'entendais un bruit étouffé de conversation.

– Alex ?

– Désolée, Martyn. Maman était en train de me parler. Qu'est-ce que tu disais ?

– Est-ce que tu passes ? ai-je répété.

Elle a hésité, puis elle a chuchoté :

– Il vaudrait mieux pas. Maman a des soupçons à propos de la voiture. Il vaut mieux que je reste à la maison.

– Quoi ? Quels soupçons à propos de la voiture ?

– Rien de grave, des petits trucs. J'ai oublié de reré-gler le siège et le niveau d'essence était bas.

– Qu'est-ce qu'elle a dit ?

– Rien, à proprement parler. Elle y a simplement fait allusion en me regardant d'un drôle d'air. Ne t'in-quiète pas pour ça.

– Oui, mais…

– Ne t'inquiète pas, a-t-elle répété. C'est rien. Je pense simplement qu'il vaudrait mieux ne pas bouger ce soir, tu vois, histoire de ne prendre aucun risque.

– Tu as sans doute raison…

– En plus, il est tard.

– Ah bon ?

– Onze heures passées.

– Ah !

– Demain matin, je viens à la première heure.

– D'accord.

– Ça ira ?

– Oui, ça ira.

– À demain alors.

– Première heure ?

– Première heure.

– D'accord.

– Il faut que j'y aille, Martyn. On se voit demain.

– Salut.

Clic.

On attend quelque chose une journée entière et quand finalement, ça arrive, on regrette de s'être fait tant de bile.

J'ai fait une croix sur ce dimanche et je suis monté me coucher.

J'étais trop fatigué pour dormir. Couché dans mon lit, je scrutais l'obscurité et ça n'a pas pris longtemps pour que le vide vienne me chatouiller le fond des yeux. J'imagine que j'aurais pu rester là simplement à tout ravaler ou, au contraire, à tout laisser sortir une fois de plus, mais je n'en ai pas eu le courage. Je me suis levé et j'ai allumé la lumière. J'ai pris *Le Grand Sommeil* sur l'étagère et j'ai lu jusqu'à avoir les paupières si lourdes que je ne distinguais même plus les mots. Je suis resté allongé, rêvant à moitié – des détectives vêtus de costumes bleu pastel, des généraux en fauteuils roulants, des orchidées tropicales, des hommes en manteaux chinois et des filles nues avec de longues boucles d'oreilles en jade – jusqu'à ce qu'enfin, mon esprit décroche et que je m'endorme, la tête posée sur le livre ouvert.

6.

Parfois, j'essaye d'imaginer ce qui se passe pendant que je dors. On ne le sait jamais, pas vrai ? On ne se voit jamais soi-même endormi. On ignore ce qui se passe. On se perd soi-même. Toutes les nuits, on s'égare dans un univers inconnu.

J'imagine la structure de mon corps tournant au ralenti. Continuant à fonctionner. Les entrailles au repos. Je suis sur pilotage automatique. Les trucs électriques qui me font marcher persistent, grésillant dans l'obscurité morte de ma tête. Je bouge, rampant aveuglément sur des draps noués et entortillés. Je me raconte à moi-même des choses que je ne comprends pas et je regarde des images qui parlent, des images brisées, un bric-à-brac de résidus d'existence. Les rêves. Le Moi qui dort. Un organisme autonettoyant, grattant la crasse inutile du cerveau. Faisant le ménage.

Quand je dors, la chambre est paisible. Les tuyaux dans les murs bourdonnent sans que je les entende, la pendule tictaque à peine. Le robinet de la salle de bains coule lentement, doucement, en décolorant la baignoire de plastique vert.

Mon corps lâche un pet minuscule.

Dehors, le ciel nocturne est immense et magnifique. Sous son dôme de pureté noire, les atours de la rue se réduisent à rien. Des voitures jouets, des petits carrés de brique, des lignes grises. Des taches invisibles de peau et d'os. Des choses dérisoires sous la lune. Un papillon blanc qui volette dans l'air nocturne. Une petite bestiole qui se faufile sous un buisson, en faisant bruisser les feuilles mortes. Un arbre rabougri, tordu et immobile dans la lumière d'un réverbère.

Et moi, couché là en train de dormir.

Il existe bien quelque chose qui voit tout.

Je me suis réveillé de bonne heure et je suis resté au lit à écouter les bruits du matin. Le bourdonnement de la voiture du laitier qui descendait la rue, les bouteilles qui s'entrechoquaient et le chauffeur qui sifflait. Des petits oiseaux qui insultaient la neige.

Quelqu'un, quelque part, s'énervait contre un chien. Murphy ! Murphy ! Murphy ! Murphy ! MURPHY ! Puis, un peu plus tard, les bruits du facteur : des pas, la boîte aux lettres qui se rabattait, encore quelqu'un qui sifflait.

Pourquoi sifflent-ils toujours ?

J'ai essayé d'en faire autant, tout en me levant et m'habillant. J'ai sifflé un air sans queue ni tête et enfilé mon jean, mon T-shirt, ma chemise, mon pull et deux paires de chaussettes. Il faisait un froid de loup. Beau et froid.

Siffler. J'ai compris. Quand on siffle, on se sent mieux. Ça distrait de ce qu'on est en train de faire mais, en même temps, ça aide à se concentrer. Comme le chewing-gum.

J'ai sifflé dans la salle de bains et j'ai sifflé en sifflant. Ensuite, j'ai sifflé en arrivant en bas, sifflé en triant le courrier et sifflé en jetant le tout à la poubelle. J'ai allumé la radio, cherché Radio 2 et sifflé sur la musique tout en me faisant des œufs à la coque.

On dirait bien que je suis devenu un inconditionnel des œufs à la coque.

Par la fenêtre de la cuisine, le ciel bas et gris promettait encore de la neige. J'ai plongé ma tartine dans mon œuf et je l'ai engouffrée. Les oiseaux se pelotonnaient contre le mur, en ébouriffant leurs plumes pour lutter contre le froid et leurs petits corps sombres se détachaient nettement contre les tas de neige tassée encore blanche. Un pigeon, qui n'avait plus qu'une demi-queue, a atterri maladroitement sur le mur, faisant s'envoler les oiseaux plus petits qui sont revenus se poser. Le pigeon arpentait le mur en se dandinant, l'air perdu. Je me suis demandé ce qui avait bien pu arriver à sa queue. Un chat ? Un chien ? Une carabine à air comprimé ?

Une fois, j'ai tué un oiseau. Quand j'étais môme. Je l'ai descendu. J'avais un petit pistolet à air comprimé. Je ne me souviens pas d'où il venait. Je l'avais peut-être échangé contre autre chose ? En tout cas, il n'était pas très bon. Ni très puissant. Ça faisait des semaines que je visais les oiseaux de jardin sans jamais rien toucher. Des moineaux, des étourneaux, des merles se posaient là, sur la barrière ou sur le toit des maisons et m'observaient avec nonchalance tandis que moi, je les visais de la fenêtre de ma chambre, je tirais et je les manquais. Ils étaient trop loin. Les grains de plomb partaient dans la bonne direction, mais perdaient leur élan à mi-chemin et piquaient du nez dans la terre. Il fallait que je me rapproche. Ou que j'oblige ces oiseaux à venir plus près de moi. Alors, j'ai fabriqué cette idiotie de petite mangeoire. Rien qu'une planche clouée sur un bâton, à vrai dire. Je l'ai plantée dans la terre à l'aplomb de la fenêtre de ma chambre, j'ai posé dessus du pain de mie, puis je suis remonté et j'ai attendu, mon arme chargée à la main. Au bout d'une ou deux minutes, un moineau est arrivé. La mangeoire improvisée a légèrement oscillé, puis s'est stabilisée. J'ai visé. Le moineau était tout près. Je distinguais son petit bec dur, ses yeux noirs. J'ai appuyé sur la détente, le pistolet a craché et le moineau est tombé. Comme ça. Je regardais, bouche bée. Je l'avais tué. J'avais mis un terme à sa vie. Je l'avais étendu raide mort. Il avait suffi que j'appuie sur la détente pour l'étendre raide mort. Je le revois encore aujourd'hui, petit paquet de plumes affaissées, le cou brisé, une goutte de sang rouge et brillant sur le bec. Inerte et insensible.

Ça m'a laissé glacé. Honteux. Effrayé. Je me suis senti sale et méchant.

Mais en même temps, je ressentais également autre chose. Pas si désagréable. Je ne sais pas. Un sentiment de puissance, peut-être. De maîtrise. De force. Quelque chose comme ça. Une sensation très troublante. J'étais trop jeune pour comprendre. Je n'en avais pas envie. Alors je me suis précipité dans le jardin, j'ai vérifié que personne ne m'observait, j'ai ramassé l'oiseau mort par le bout de l'aile et je l'ai jeté à la poubelle. Disparu. Hors de ma vue. Ça n'était pas arrivé. Oublions-le.

Je n'ai pas pu oublier.

Le pigeon à la demi-queue était parti, il n'y avait plus d'oiseau perché sur le mur devant la fenêtre. Le chat des voisins se promenait sur le mur en levant haut les pattes dans la neige, avec un sourire suffisant. Je n'aime pas les chats. Surtout celui-là. Petit salaud. J'ai tapé sur la vitre et il a fichu le camp.

Alex paraissait un peu distraite en arrivant. J'ai observé son visage pendant qu'elle ôtait son bonnet de fourrure et accrochait son manteau. Sa façon de remuer les lèvres, la forme de sa bouche, ses yeux ; qu'elle soit d'humeur distraite ou non, j'aurais pu la regarder éternellement. Elle a passé un doigt sur son front, esquissé un sourire, puis resserré le ruban dans ses cheveux. Il était noir aujourd'hui, aussi noir que sa chevelure. Son ample chemise en jean délavée était également noire et elle la portait par-dessus un jean noir et serré. Encadré de noir, le pâle ovale de sa figure brillait d'une simplicité parfaite. Comme une poupée de porcelaine.

– Quoi ? a-t-elle dit.

Je la regardais fixement.

– Rien. Excuse-moi, ai-je répondu.

Elle a baissé la tête en se léchant les lèvres, comme si elle voulait dire quelque chose qu'elle ne parvenait pas à retrouver. J'ai attendu. Puis, à ma grande surprise, elle a relevé la tête avec un sourire éblouissant, s'est penchée vers moi et m'a embrassé sur la joue.

– Désolée, Martyn.

– De quoi ?

– Pour hier. De n'être pas venue. Mais, ajouta-t-elle d'un ton hésitant, j'avais simplement besoin d'échapper à tout ça un petit moment.

– Quoi, tout ça ?

– Tout. Ton père. Dean. Je veux dire, cette histoire… est carrément dingue. Nous nous sommes débarrassés d'un corps, nom de Dieu ! Et maintenant, aujourd'hui…

– Mais on en a déjà discuté…

– Je sais bien. Je ne suis pas en train de dire que j'ai changé d'avis, je ne me défile pas ni rien. J'avais juste besoin de prendre l'air. C'est tout. Je t'explique simplement pourquoi je ne suis pas passée hier, pourquoi je n'ai pas téléphoné, a-t-elle ajouté en posant sa main sur mon bras.

J'ai hoché la tête. Je ne savais pas quoi dire.

Au bout d'un moment, elle a ôté sa main.

– D'accord ?

– Oui, ai-je acquiescé. Bien. Bon, alors, quelle heure est-il ?

– Dix heures, a-t-elle répondu en regardant sa montre.

– Nous avons deux heures avant que Dean arrive. Revoyons encore une fois tout ça.

Et une fois encore, nous avons revu tout ça.

Après, tout en buvant du thé et en mangeant des toasts, j'ai abordé le sujet de l'argent.

– J'y ai réfléchi, lui ai-je annoncé. Pas besoin d'attendre que le chèque soit passé sur le compte pour nous lancer dans les dépenses. Nous pouvons aller en ville cet après-midi.

– Mais le chèque ne sera pas crédité avant demain, a protesté Alex. Tu ne pourras pas du tout tirer d'argent liquide.

– Qui a parlé de liquide ?

– Qu'est-ce que tu racontes ?

– J'ai un chéquier. Je peux payer des trucs par chèque, je peux imiter la signature de papa.

– Mais…

– Je vais te montrer. Attends.

Je suis monté chercher la carte de crédit de papa dans son secrétaire, ainsi qu'un stylo et une feuille de papier.

– J'ai toujours signé des choses à sa place, ai-je expliqué en griffonnant à toute vitesse toute une collection de signatures. Des bons de livraison, des lettres pour la Sécurité sociale, des ordonnances… c'est facile. Tu vois ?

Je lui ai montré mes fausses signatures, puis la vraie au dos de la carte de crédit.

– On voit pas la différence, non ? ai-je insisté.

J'en ai fait encore une W. PIG. Un gros W qui tombe, comme un graffiti représentant des seins, un point et un lamentable PIG, trois lettres majuscules écrasées qu'on dirait écrites par un môme de six ans. Un môme de six ans avec une main cassée, même.

– Il faut le faire vite, ai-je expliqué en recommençant pour lui montrer. Si on commence à réfléchir, c'est raté.

– C'est très réussi, Martyn.

– Merci.

– Le seul problème…

– Quoi ?

– Qui va accepter un chèque venant d'un garçon de quatorze ans ?

J'ai cessé mes exercices et je l'ai regardée.

– Le marchand de vin le fait toujours. Il me laisse même signer du nom de papa.

– Il a plutôt intérêt, non ?

– Je ne vois pas pourquoi…

– Mais si voyons.

Je me suis tu.

– Allons, Martyn, a-t-elle repris. Ne fais pas l'idiot. Même si quelqu'un accepte effectivement un chèque – ce qui n'a rien de sûr – les chèques, on peut les suivre à la trace, c'est dangereux. Attends donc demain, attends que le compte soit crédité des trente mille livres, et ensuite, utilise la carte de crédit. Un jour de plus, c'est pas la mer à boire, hein ? Tiens-toi au plan prévu.

Elle avait raison, évidemment. Mon idée était idiote, tellement idiote que je me sentais gêné. J'aurais bien voulu trouver un trou pour me cacher dedans.

– Qu'est-ce que je ferais sans toi ? ai-je dit en tentant de sourire.

– Tu te débrouillerais, a-t-elle répondu en souriant à son tour. Il faut que j'aille aux toilettes, a-t-elle ajouté en se levant. Donne-moi la carte de crédit, je vais la remettre dans le secrétaire.

Je lui ai donné la carte et elle a ramassé la feuille avec toutes les fausses signatures.

– Inutile de laisser traîner ça par ici, hein ? Je vais le jeter aux cabinets.

– Merci, Alex. Pour tout.

Elle m'a regardé en riant.

– Quoi ? ai-je continué en souriant. Qu'est-ce qu'il y a de drôle ?

– Rien, a-t-elle répliqué en se maîtrisant, il n'y a rien de drôle.

Ça m'ennuyait parfois, cette façon de changer d'humeur. Une seconde comme ça ; la suivante, comme ci. Dur de la suivre. Mais j'imagine que nous avons tous nos petits défauts.

À onze heures, je l'ai accompagnée à l'arrêt d'autobus. Le ciel sombre semblait sombre de toute éternité. Un vent glacé soufflait en rafales dans les allées entre les maisons, dispersant des giclées de neige tourbillonnantes jusque sur la route.

Dean devait arriver une heure plus tard.

– À quelle heure va-t-il partir de chez lui ? ai-je demandé.

– Sans doute vers onze heures et demie, midi moins le quart.

– Tu as la clé ?

Elle a hoché la tête en tapotant sa poche.

– C'était plutôt drôle, quand il me l'a donnée. On aurait dit qu'il effectuait un véritable acte d'amour, tu vois, comme s'il me demandait de l'épouser. Je crois qu'il espérait que j'allais défaillir de bonheur.

– Et alors ?

– Tout ce qu'il cherchait, en réalité, c'était quelqu'un pour lui nettoyer son appart pendant qu'il était au travail.

L'abribus n'était guère efficace contre les attaques du vent. Frissonnants, nous attendions, assis sur les sièges à abattants. Alex se cramponnait à son sac en regardant droit devant elle.

– Tout ira bien, ai-je affirmé.

– Oui.

Le silence s'est installé. Il n'y avait rien à ajouter. Cinq jours auparavant, nous nous trouvions au même endroit. L'image était claire dans ma tête. Mercredi. Alex attendait l'autobus pour aller chez Dean. Moi, j'arrivais chargé de sacs remplis des courses de Noël, et mon nez coulait. Alex s'était moquée de la dinde, s'était penchée pour inspecter le contenu des sacs plastique, elle en avait poussé un du pied.

« Joli petit poulet.

– C'est une dinde.

– Un peu petit, pour une dinde.

– C'est une dinde de petite taille.

– À mon avis, tu vas t'apercevoir qu'on t'a refilé un poulet, Martyn. »

Sans cesser de nous sourire. Ses yeux qui brillaient dans l'ombre de l'abribus, comme des billes, clairs, ronds, parfaits. On était restés là, à bavarder tranquillement en regardant le monde tourner...

– Voilà l'autobus, a-t-elle annoncé en cherchant son porte-monnaie dans son sac.

Était-ce alors, ou maintenant ?

L'autobus est arrivé et les portes se sont ouvertes. Alex est montée. Je l'ai regardée payer. Le conducteur a enfoncé les boutons de sa machine à tickets. Le ticket a jailli. J'ai regardé sa façon de cligner lentement des yeux et la façon dont sa bouche disait Merci, et ses cheveux brillants, d'un noir de jais, tandis qu'elle prenait le ticket de bus, qu'elle le roulait en tube, qu'elle se le collait au coin de la bouche et qu'elle se dirigeait avec grâce vers le fond de l'autobus. Et c'est en vain que j'ai attendu qu'elle tourne la tête tandis que l'autobus fonçait dans la rue en brinquebalant, avant de disparaître dans le virage.

Elle ne s'est pas retournée.

En rentrant à la maison, j'ai mis de l'ordre. Sans papa dans les parages, l'endroit était facile à entretenir. Sa façon de se répandre, je la détestais. Des trucs partout par terre, des assiettes et des tasses sales, des verres, des bouteilles, des journaux, de la cendre de cigarette, des vêtements, des chaussures – un vrai foutoir. J'avais à peine fini de nettoyer, ça revenait. Des réserves de saletés à l'infini. Insupportable. Toute cette crasse et ce bazar m'empêchaient de penser. J'ai besoin de voir des surfaces propres, plates, dégagées.

De voir la vraie forme des choses, les lignes, les angles. Le désordre me dérange. Papa n'en avait rien à fiche, lui. Il restait assis dans son fauteuil, cerné par ses propres ordures, à boire et à fumer, heureux comme une moule sur son rocher. Pas le moindre souci. Sa Majesté des Ordures. Le Roi de la Crasse. Il m'arrive de croire qu'il faisait exprès de planter le souk dans la maison rien que pour m'embêter. Ça lui faisait plaisir. Il trouvait ça drôle.

Si je ne pouvais rien faire pour lutter contre son côté miteux, au moins maintenant, la maison luisait comme un sou neuf. Propre et claire. Pas de désordre. Ni de saloperies. Ni d'ordures. Le sol propre, la cuisine propre, les tables propres, tout propre. Propre et restant propre. Quel plaisir de garder tout propre ! Je n'avais rien à faire. Me balader de-ci de-là, chasser une poussière d'une pichenette, ramasser un petit bout de coton égaré sur le tapis, redresser les coussins du canapé. Siffler en travaillant.

Une fois ma tâche terminée, satisfait de voir que tout était impeccable, je me suis installé dans le fauteuil pour attendre Dean.

Calme, détendu, la tête claire.

J'étais prêt.

Cinq minutes plus tard, j'ai entendu un faible vrombissement d'insecte. La moto de Dean. Tout au bout de la grande rue – *bzzz* – contourner le mini rond-point – *bzbzzz* – remonter la colline – *bzzzzzz* – le gémissement aigu devenant plus fort et plus désespéré tandis que la moto passait devant l'église puis – *nnn-nnn-nnn-nnn-nnn* – changeant de vitesse et ralentissant pour tourner dans la rue – *bzbzbzzzz* – plus près et plus bruyant – *BZZZZZZ* – comme une guêpe géante enfermée dans une boîte de conserve – *ZZZZZZ* – et puis – *ZZZZZzzzzchouga chougachouga* – tandis qu'elle ralentissait encore pour venir se garer de l'autre côté de la rue. Le moteur a vrombi inutilement encore deux fois puis s'est tu.

Silence.

Par la fenêtre, j'observais le globe noir du casque intégral de Dean qui s'agitait. J'écoutais le bruit de ses pas lourds tandis qu'il montait sur le trottoir et s'arrêtait devant la porte.

La sonnette a retenti.

Je n'ai pas bougé.

Elle a retenti de nouveau, cette fois plus longtemps.

J'ai laissé sonner, puis je me suis levé lentement et je suis allé dans l'entrée. La silhouette sombre de Dean se dessinait derrière la porte, sa grosse tête noire et son corps rabougri tout tordus par le verre dépoli, comme un extraterrestre aux jambes maigres, aux bras interminables et à la tête en coupole.

Je me suis avancé pour ouvrir la porte.

– Oui ?

Il m'a examiné une seconde, les yeux cachés derrière la visière sombre de son casque, puis il est entré en passant devant moi. J'ai refermé la porte.

– Oué Aé ? a-t-il dit en se battant avec les lanières de son casque.

– Quoi ?

Il a ôté son casque.

– Où est Alex ? a-t-il répété en lissant sa queue-de-cheval.

– Pas ici, ai-je répondu avec un haussement d'épaules. C'est grave ?

– Non. T'es tout seul, alors ?

– Non.

– Qui y a d'autre ? a-t-il demandé en inspectant la cuisine.

– Toi.

Il m'a regardé de ses yeux globuleux.

– Tu te crois drôle ?

– Plus drôle que toi.

Il a retroussé la lèvre, en essayant d'avoir l'air d'un dur. Ça marchait pas. Même plongé dans le béton, il n'aurait pas eu l'air dur. Avec son pantalon et son blouson de cuir noir mal coupés, on aurait dit qu'il avait emprunté les fringues de quelqu'un d'autre. La peau de son visage pendait, terne, pâle et bouffie à cause des longues heures passées à bâiller devant un écran d'ordinateur, un vrai morceau de pâte crue. Un type mal cuit.

Planté là comme un gros lourdaud, il a allumé une cigarette en soufflant la fumée dans ma direction.

— Tu peux poser ça si tu veux, ai-je dit en montrant le casque qu'il n'avait pas lâché.

Il a presque failli dire merci, et puis il s'est souvenu qu'il était censé être un dur, alors il a fait un rictus et jeté son casque sur la table de l'entrée.

Qu'est-ce que Alex avait bien pu voir chez lui ? ai-je pensé. Comment avait-elle pu… avec ça ?

— Elle te manque ? ai-je demandé brusquement.

— Qui ? Alex ? a-t-il dit avec un rire froid. Si elle me manque ? Je suis ravi qu'elle se tire. Une petite pute prétentieuse. Des comme elle, ça se ramasse à la pelle. Pourquoi ? a-t-il demandé en caressant sa queue-de-cheval avec un petit sourire satisfait. Tu crois que t'as tes chances, Pigman ?

— Alex est simplement une amie.

— Ah bon ?

— Tu ne peux pas comprendre.

— Pour toi, elle est vraiment trop, tu sais, a-t-il affirmé en tirant sur sa cigarette. Trop femme. Tu vois ce que je veux dire ?

— Ce n'est qu'une amie.

— Si j'étais toi, je m'intéresserais plutôt à quelqu'un de mon âge. Se bécoter derrière les hangars à vélos, ce genre de truc. Des trucs de mômes. Alex, c'est autre chose. Elle t'épuiserait à la tâche, a-t-il ajouté en clignant de l'œil.

Crétin.

Je suis allé au salon m'asseoir dans le fauteuil. Dean m'a suivi en hésitant, inspectant la pièce du regard.

– Où il est ?

– Quoi ?

– Tu sais très bien.

– Le corps ?

Il a acquiescé d'un signe de tête.

– Disparu, ai-je dit.

Il n'a rien répondu. Debout au milieu de la pièce, il tripotait les fermetures Éclair de son blouson, il tirait sur sa cigarette, ne sachant comment réagir.

– Assieds-toi, lui ai-je proposé en montrant le canapé.

Les coussins se sont affaissés sous son poids et il a dû se cramponner à l'accoudoir et croiser les jambes pour éviter de glisser en avant. Il a rejeté sa queue-de-cheval sur le côté et fait tomber sa cendre par terre, histoire de reprendre un peu de poil de la bête. Quel plouc indécrottable ! Un triste échantillon d'humanité, qui méritait à peine ce nom. Un mètre quatre-vingts de pâte détrempée.

– Eh bien ? ai-je dit.

– Quoi ?

– T'as apporté les bandes ?

– T'as l'argent ?

– Montre-moi les bandes.

– Montre-moi l'argent.

J'ai jeté un coup d'œil par la fenêtre. Quelques flocons de neige tombaient lentement, flottant sans hâte dans l'air. Des gros flocons paresseux, qui voletaient, oscillaient, tournaient, prenaient leur temps en traversant lentement l'air froid et dense. Des cristaux blancs et doux…

– Tu n'auras pas un sou, ai-je déclaré.

Il a ouvert la bouche, puis il l'a refermée. Il a reniflé et il s'est frotté les lèvres.

– Quoi ?

– Tu n'auras pas un sou.

– Pourquoi ?

– Parce que l'argent est à moi.

Nos regards se sont croisés. Le sien était vide. Je pouvais apercevoir le fond de son âme ; il n'y avait rien à regarder. Il a tiré fort sur sa cigarette, cligné des yeux, puis arraché le mégot de ses lèvres pour souffler un long jet de fumée qui est monté jusqu'au plafond où il s'est tassé, formant un nuage bleuté : un dur de dur.

J'attendais, sans le quitter des yeux. À toi de jouer, Dean. Que vas-tu faire ? Tu ferais bien de prendre une décision. Tu peux pas rester assis là à fumer.

Il a fouillé dans la poche de son blouson, il en a sorti la mini-cassette qu'il a brandie comme un prestidigitateur brandit un lapin.

– Et ça, alors ? a-t-il dit.

– Eh bien ?

Il s'est tu, l'air perplexe.

J'ai souri.

Il a réessayé.

– Pas d'argent, pas de cassette.

J'ai continué à sourire.

– Tu comprends, Pig ? Pas d'argent, pas de cassette. Si j'ai pas la monnaie, ce truc-là – il a tapoté la cassette – file chez les flics.

– Je ne crois pas.

– Ah bon ?

– Non.

– Tu m'en crois pas capable ?

– Non.

– Non ?

– Non.

– Pourquoi ?

Je me suis levé pour aller à la fenêtre. Dehors, la rue était recouverte d'une fine couche de neige fraîche, comme le glaçage sur un gâteau. La moto de Dean était posée sur sa béquille en face de la maison, un objet laid couvert de chrome, avec un réservoir vert vomi tout gonflé. Un objet minable et nuisible, un jouet sorti tout droit d'une pochette-surprise. Une moto-jouet pour un homme-jouet. Je me suis retourné vers lui. Accroupi maladroitement sur le canapé, il avait l'air minable et pathétique.

– Tu connais la police scientifique ? lui ai-je demandé.

– La police scientifique ? a-t-il répété, en fronçant les sourcils. C'est ceux qui s'occupent des empreintes, du sang, des trucs comme ça. Quel rapport avec notre histoire ?

J'ai traversé la pièce et je me suis arrêté derrière le canapé, fixant le haut de son crâne. Perplexe, il s'est retourné pour me regarder tandis que je me penchais pour cueillir un long cheveu blond sur le dossier. J'ai brandi ce cheveu entre deux doigts.

– Tu seras chauve d'ici quelques années.

– Quoi ?

– Regarde, ai-je expliqué en montrant le dossier. Tu perds tes cheveux partout. C'est dégoûtant.

Automatiquement, sa main est venue toucher sa bien-aimée queue-de-cheval.

– Qu'est-ce que tu racontes ?

– Tu veux savoir ce qu'on a fait du corps ?

Il a hoché la tête, troublé.

– Je vais te le dire. On l'a enveloppé dans un sac de couchage, on l'a lesté avec des pierres et on l'a expédié au fond d'un puits, dans la vieille carrière.

Je me suis tu pour lui laisser le temps d'absorber la nouvelle, puis j'ai saisi un autre cheveu sur le dossier et j'ai commencé à le faire tourner entre mes doigts.

– La dernière fois que tu es venu ici, ai-je repris, tu as laissé des cheveux partout. Sur le sol de la cuisine. Après ton départ, je les ai ramassés. Mais je ne les ai pas jetés. Avant d'emballer le corps de papa dans son sac de couchage, je lui en ai collé quelques-uns sous les ongles. Je lui en ai entortillé autour des doigts. Tes cheveux, Dean. Tu comprends ? Tu vois ce que je veux dire ?

Son regard vide ne me quittait pas.

– Ainsi qu'un mégot de cigarette, ai-je continué. Tu te souviens ? Tu en as laissé tomber un dans la cuisine. Ça aussi, hop ! dans le sac. Les cheveux et le mégot. Tes cheveux, ton mégot. Incroyable ce que la police réussit à faire de nos jours. Les cheveux, les mégots, les empreintes, l'ADN. La police scientifique, c'est un truc étonnant.

Dean ne me quittait pas des yeux tandis que je retournais m'asseoir ; sa bouche et sa paupière gauche se tordaient à l'unisson.

– Tu comprends ?

– Tu mens, a-t-il répliqué en secouant lentement la tête.

– Non.

Il était plus pâle qu'un poisson mort.

– Je te crois pas.

J'ai haussé les épaules.

– Prouve-le.

– Je ne peux pas, ai-je répondu en souriant. Il va falloir que tu me fasses confiance.

– Et autrement ?

– C'est ton problème. À toi de décider. Si tu veux prendre ce risque…

– Salaud !

– Si on retrouve le corps – ce qui arrivera si quiconque écoute la cassette, tu peux en être sûr – il y a
là assez de preuves pour te faire condamner pour
meurtre. Plus qu'assez, même.

– Mais la cassette…

–… nous implique, Alex et moi. T'as raison. Mais
réfléchis bien. C'est une jeune fille, moi je suis un
gosse. Nous sommes innocents. Tu nous as forcés à
agir, Dean, tu nous as contraints à t'aider. Même si
nous étions condamnés, ce qui est fort peu probable,
au pire, nous écoperions un an ou deux dans un centre
pour délinquants. Mais toi, tu iras en prison, quoi qu'il
arrive. La vraie prison. Pas le genre maison de
vacances pour gamins tenue par des travailleurs
sociaux. La prison. Enfermé, vingt-quatre heures sur
vingt-quatre pour le reste de ta vie. Avec des vrais
méchants. Des assassins, des violeurs, des pervers…
réfléchis bien, Dean. Toute une vie. C'est long.

Il contemplait le sol en se frottant inconsciemment
l'œil.

– Ils y croiront pas, a-t-il fini par dire sans convic-
tion. Pourquoi j'aurais tué ton vieux ?

– Pour l'argent.

– J'étais pas au courant, pour l'argent !

– Alex t'en a parlé.

– C'est pas vrai !

– Tu peux le prouver ?

224

Il a été incapable de répondre. Il est resté assis là, complètement abattu. Perdu. Il n'y avait aucune issue. Je l'avais coincé. Il ne pouvait pas se permettre de ne pas me croire.

– La cassette, ai-je exigé en tendant la main.

– J'en ai des copies.

– Non, ai-je répondu en secouant la tête.

– Quoi ?

– C'est Alex qui les a.

– Comment ? Depuis quand ?

– Depuis environ un quart d'heure, ai-je répondu après avoir jeté un coup d'œil à la pendule. Tu lui as donné une clé de chez toi, tu t'en souviens ? Voilà où elle est allée pendant que toi, tu venais ici. Fouiller ton appartement, pour trouver les copies de la bande. On savait que tu ne les apporterais pas avec toi.

– Elle est entrée chez moi ?

– Tu lui as donné une clé.

– Sale pute ! Je vais la tuer !

Ses yeux froids étaient pleins de rage et, durant quelques secondes, j'ai cru qu'il allait se jeter sur moi. Je me suis préparé à l'attaque, mais sa colère s'est rapidement évanouie. Ce pas grand-chose, ce moins que rien, battu, perdu, humilié, était assis là comme un bébé – un bébé d'un mètre quatre-vingts habillé de cuir noir. Impuissant, ahuri, faible, blanc et mou. Une petite brise aurait suffi pour le faire s'envoler.

J'ai tendu la main et j'ai récupéré la bande. Un bonbon qu'on prend à un bébé.

Je suis allé regarder par la fenêtre. Des empreintes de pas traversaient la rue, toutes fraîches dans la neige, et se dirigeaient vers la moto de Dean. Ou s'en éloignaient, je n'aurais pas su dire. Un gosse, sans doute, était venu examiner l'engin.

La neige tombait sans répit. J'ai levé les yeux vers le ciel blanc et lourd et j'ai choisi un flocon. Il avait l'air de tomber plus lentement que les autres, comme s'il ne souhaitait pas atterrir. Il avait envie de tomber pour l'éternité. Tandis que j'étais là à l'observer, je me suis senti devenir partie intégrante de ce flocon. Je sais que ça a l'air ridicule, mais je jure que c'est la vérité. J'étais là, moi, Martyn Pig, debout devant la fenêtre en train de contempler le ciel ; et un autre moi, un moi en forme d'étoile, voletait au milieu de la neige. L'air froid me coulait entre les doigts. J'étais du cristal. Fort, complexe et magnifique. Je ne pesais plus rien. Je flottais. Très haut au-dessus de la terre. Je voyais à des kilomètres de distance. Je voyais la masse grise de la ville, les usines, les méandres bruns de la rivière, les routes lointaines et les voitures, les maisons, les toits, la rue, un grand dadais de gosse qui regardait par la fenêtre… et même si je n'étais qu'un parmi des millions de minuscules bijoux de glace, moi seul comptais. J'avais pour unique tâche de tomber, ce que j'étais en train de faire. Libre, à l'aise, sans

crainte, sans rien sentir, simplement tomber doucement dans l'air de cet après-midi pour atterrir sans
bruit sur le toit couvert de neige d'une Vauxhall Astra.
Et puis j'ai commencé à fondre. Juste avant que l'obscurité ne soit complète, j'ai regardé le garçon à la
fenêtre. Il m'a rendu mon regard, il a passé les doigts
dans ses cheveux et il a disparu.

Dean était toujours assis, les yeux fixés sur le mur.

– Je pensais que t'étais plus là, ai-je dit.

Il s'est levé et il est parti sans un mot. J'ai entendu
la porte d'entrée s'ouvrir et se refermer doucement.
De la fenêtre, je l'ai observé traverser la rue, la tête
basse, les épaules voûtées, tandis que la neige tache-
tait de blanc ses vêtements noirs. Je l'ai vu baisser la
visière de son casque, enfourcher sa moto et la faire
démarrer sans entrain. Cette fois, pas de vrombissement de moteur, pas de bourdonnement plein de
colère. Il s'est éloigné avec prudence, il a tourné le
coin et il a disparu. Les traces noires et brillantes de
ses pneus se sont aussitôt couvertes de neige.

J'ai écouté le bruit de sa moto décroître tandis qu'il
accélérait l'allure pour descendre la côte raide de la
grande rue menant vers le rond-point. Et puis, d'un
seul coup, il n'y a plus rien eu. Une seconde avant, un
bourdonnement faible mais hargneux ; la seconde
d'après, plus rien.

Terminé.

Bizarre, ai-je pensé.

J'ai haussé les épaules. Ce devait être la neige, une sorte d'illusion acoustique.

Illusion acoustique ? Ça existe, un truc pareil ?

Aucune importance.

Parfait. Plan A. En douceur comme on aime. Pas de problèmes. Tout est réglé. Papa est parti, Dean aussi. Propre, sans bavures. J'ai souri.

Il ne reste plus maintenant qu'Alex et moi. Et trente mille livres.

Délicieux.

Dix minutes plus tard, Alex sonnait à la porte.

– C'était rapide.

Elle n'a pas répondu.

– Tu as les bandes ?

Elle ne m'a même pas regardé, elle a foncé droit dans le salon et s'est accroupie devant le feu, pour se réchauffer les mains. Je l'ai suivie. Ses yeux semblaient vitreux, lointains, ailleurs. Ses gestes aussi étaient étranges. Lents et raides, comme ceux d'une somnambule. Elle a commencé à se frotter les mains, sans arrêt, à frotter, frotter, frotter. J'ai remarqué que le pouce et deux doigts de sa main droite étaient maculés de noir.

– Alex ?

Elle n'a pas paru m'entendre.

Quelque part au loin, une sirène a hurlé. Ambulance. Alex était parfaitement immobile. Les yeux dans le vide, les mains étroitement jointes, elle écoutait la sirène approcher. Elle suivait la grande rue, elle venait par ici, le bruit était plus fort – un hurlement rauque. Il y a eu un changement de ton quand l'ambulance est passée devant la maison, puis le bruit a décru. Alex a marmonné quelque chose, et a recommencé à se frotter les mains.

– Alex ? ai-je appelé doucement.

Elle n'a pas répondu.

Je me suis avancé pour lui toucher l'épaule.

– Alex ?

Elle a cessé de se frotter les mains et levé les yeux, surprise de me voir.

– Martyn.

– Tu te sens bien ?

Elle a cligné des paupières. Brusquement, ses yeux se sont éclaircis, elle s'est levée et m'a embrassé avec des lèvres froides comme la glace. C'était un peu étrange, comme sensation, pour être franc. Comme s'il s'agissait de quelqu'un d'autre.

– Excuse-moi, a-t-elle dit, avant de quitter la pièce.

Je l'ai entendue monter l'escalier pour aller dans la salle de bains. Presque aussitôt, elle a ouvert les robinets et elle a tiré la chasse d'eau. Encore malade, ai-je pensé. Le choc, sans doute. Voilà ce que c'est. Un bon petit choc. Une « réaction posttraumatique ». Entrer en douce chez Dean, fouiner partout, toute seule, cela avait dû la terrifier. Elle avait peur, voilà tout. Pas de quoi s'inquiéter.

Je me suis assis et j'ai attendu, en contemplant la neige par la fenêtre. Ce spectacle commençait à me filer la nausée.

Lorsque Alex est redescendue dix minutes plus tard, on aurait dit qu'il ne s'était rien passé. Elle était de nouveau elle-même. Souriante, joviale, radieuse, nette. Propre.

– Alors, s'est-elle enquise en s'installant sur le canapé, comment il a réagi ?

– Qui ?

– Mais Dean, idiot. Qui d'autre ? Qu'est-ce qu'il a dit ?

– Pas grand-chose. Pour être franc, il ne pouvait pas dire grand-chose.

– J'aurais bien aimé être là pour voir sa tête.

Je lui ai raconté tout ce qui s'était passé, depuis le moment où il était arrivé jusqu'au moment où je l'avais regardé partir. Je me suis dispensé du baratin de Dean sur elle et moi. Ainsi que du truc avec la neige. Elle écoutait de toutes ses oreilles, perchée sur le bord du canapé, en me fixant de ses grands yeux bruns.

– Qu'est-ce qu'il a dit quand tu lui as raconté que j'étais chez lui ?

– Il était pas tellement content, ai-je répondu. Il t'a traitée de tous les noms.

Quelque chose a traversé ses traits à la vitesse de l'éclair mais a aussitôt disparu. Elle a souri en haussant les épaules.

– Bof, la bave du crapaud…

– Comment ça s'est passé, dans l'appart ? ai-je demandé.

– À l'aise Blaise. Je suis entrée, j'ai pris ce qu'il me fallait et je suis repartie.

– Tu as les bandes ?

Elle a fouillé dans son sac et en a sorti un magnétophone miniature et une boîte de cassettes.

– Je les ai toutes vérifiées sur le chemin du retour. Il n'avait fait qu'une seule copie. Quel crétin ! Il l'a même carrément étiquetée, regarde.

Elle m'a tendu la cassette. Derrière, il était écrit : *A et MP conversation (copie).*

J'ai ri.

– Dean, le roi des criminels.

– Le vrai caïd.

– Bien dégonflé maintenant.

Elle a souri.

Tout était tellement simple. Parfait. Tout avait fonctionné. Je me sentais bien. J'avais décidé de faire quelque chose et j'avais réussi. Moi. Mon plan. Mon idée. J'étais fier de moi.

– Tu crois qu'on le reverra un jour ? ai-je demandé.

Elle a détourné le regard, mais j'ai eu le temps de voir encore une fois cette drôle d'expression passer sur son visage. On aurait dit qu'on soulevait un masque, et qu'on le laissait retomber. Trop rapidement pour reconnaître le visage qu'il dissimulait.

– Non, a-t-elle répondu doucement, je ne crois pas qu'on reverra Dean.

Fin d'après-midi. La grille du Scrabble était presque remplie. Alex était assise, les coudes sur la table, la tête dans les mains, et contemplait ses lettres. Elle ne les faisait jamais bouger sur le chevalet, elle se contentait de les regarder, un bout de langue dépassant de ses lèvres, concentrée, attendant qu'un mot surgisse.

Nous avions encore une fois vérifié toutes les cassettes de Dean, simplement pour être sûrs, mais aucune n'était intéressante. L'original et la copie de la cassette du chantage, nous les avions fait brûler dans un seau en métal. J'avais mis dans un sac en plastique les restes de bandes carbonisées, ainsi que le magnétophone et toutes les autres cassettes, j'avais entassé par-dessus des ordures ménagères, et puis, guilleret, j'étais sorti fourrer le tout dans une poubelle à roulettes devant la maison de quelqu'un d'autre, à plusieurs rues de là.

Et maintenant, une tasse de thé à la main, les yeux fixés sur l'obscurité de cette fin d'après-midi, je pensais à la journée du lendemain. Le Plan. Deuxième partie. Le programme n'était pas très chargé, à vrai dire. Alex passerait le matin, nous irions en ville, nous prendrions deux cent cinquante livres au distributeur et nous irions les dépenser. Nous n'avions pas encore discuté de ce que nous achèterions. Pour être franc, je n'étais pas très à l'aise sur le sujet. Je n'avais pas envie d'avoir l'air trop frimeur, trop sûr de moi. Mais je ne voulais pas non plus qu'Alex pense que je n'étais pas prêt à faire tout ce qu'elle voulait. Si l'argent, elle souhaitait le dépenser à acheter des cadeaux, des fringues, ce genre de trucs… très bien, ça me convenait. À sa guise. Mais moi, ce qui m'intéressait vraiment, c'était de me tirer d'ici. Je n'espérais pas que nous allions nous embarquer direct pour l'ailleurs, mais une visite à l'agence de voyages me semblait un bon début. Ils nous proposeraient peut-être quelque chose pour tout de suite, une maison de campagne en Écosse ou au pays de Galles, un projet dans ce genre-là. Nous pourrions prendre le train, ou peut-être même la voiture. N'importe où, ça ferait l'affaire. N'importe où sauf ici.

Mais, comme je l'ai mentionné, je ne savais pas très bien comment amener le sujet.

– Demain, on ferait bien de démarrer de bonne heure, ai-je dit. C'est la veille de Noël, les boutiques vont fermer tôt.

– Hmmm ? a-t-elle marmonné sans quitter ses lettres des yeux.

– Demain. C'est la veille de Noël. Les boutiques ferment tôt.

– Mais non.

– Certaines, si.

– Lesquelles, par exemple ?

– Je sais pas. Les banques, les agences de voya…

– Mais on n'a pas besoin de banques, non ? a-t-elle répliqué en souriant. Juste un distributeur. Les distributeurs, ça ferme pas.

– Non, évidemment.

Elle est retournée à ses lettres.

Si elle n'a pas envie de partir tout de suite, ai-je pensé, on pourrait aller dans une agence de voyages rien que pour jeter un coup d'œil, ramasser quelques brochures, prendre des tarifs et puis après on va s'acheter des cadeaux et des trucs, histoire de passer un bon petit Noël tranquille ici. Un ou deux jours de plus, c'est pas la mer à boire. Je pourrais acheter des choses vraiment chères à manger et nous préparer un petit dîner succulent. On traînera par ici deux-trois jours. Ça nous laissera le temps d'accumuler pas mal de fric, comme ça, après Noël, on ira vraiment quelque part.

– Tu veux venir ici pour le réveillon ? ai-je proposé. Et amener ta mère ?

– Quoi ? a-t-elle dit en levant les yeux.

– Ta mère et toi, je vais vous préparer un souper de Noël.

– Ouais, d'accord.

– Elle est pas végétarienne ou je ne sais quoi dans ce genre ?

– Qui ?

– Ta mère.

– Pourquoi elle serait comme ça ?

– Je sais pas. Je posais juste la question. Qu'est-ce que tu préfères, le poulet ou la dinde ?

– N'importe, vraiment ça n'a pas d'importance. On n'est pas difficiles. Tant qu'il ne s'agit pas de ce truc immonde que tu avais rapporté du marché, a-t-elle ajouté en souriant. Maintenant, laisse-moi me concentrer sur ces lettres.

Au bout d'une ou deux minutes de silence, elle s'est apprêtée à poser un mot, puis s'est ravisée. J'ai eu un sourire intérieur. Les premières fois où nous avions joué au Scrabble ensemble, sa lenteur me gênait. Une lenteur incroyable. Parfois, il lui fallait au moins cinq minutes avant de poser un mot. Quand elle se décidait enfin, c'était un truc idiot, genre CHAT ou MOI. Mais maintenant, j'avais l'habitude. Ça ne me dérangeait plus. Parce que j'aimais bien l'observer pendant qu'elle jouait.

– Généralement, qu'est-ce que tu fais ? ai-je demandé.

– Quoi ?

– Pour Noël. Qu'est-ce que tu fais généralement ?

– Pas grand-chose.

Elle a commencé à tambouriner sur la table du bout des doigts. *Tap tap tap.* Ce qui voulait dire : « Ferme-la, Martyn, j'essaye de trouver un mot. » Alors je me suis tu et j'ai regardé par la fenêtre. Il n'y avait que la nuit et la neige. J'ai observé Alex. Les yeux fixés droit devant elle. En train de réfléchir. J'ai essayé d'imaginer à quoi elle ressemblerait quand elle serait vieille. Mais je n'y arrivais pas. Son visage ne pouvait qu'être jeune. Moi, je m'imaginais très bien sous les traits d'un vieillard. Petit et osseux, chauve, couvert de verrues, les joues creuses. Un vieux con misérable, toujours en train de râler en agitant sa canne sous le nez des gens « Poussez-vous de là, vous voyez donc pas que je suis vieux ? » J'aurais des mauvaises dents, j'aurais en permanence des traces de bave sur le menton, je porterais les mêmes vêtements tout le temps…

– Sac, a dit Alex.

Et voilà son mot. SAC.

En touchant chaque pion du bout du doigt, elle a fait le compte de ses points, les a inscrits sur la feuille ; puis elle a plongé la main dans le sac à lettres, elle a fermé les yeux pour sortir deux nouveaux pions, les a posés sur son chevalet et s'est immédiatement remise au travail. Voilà comment elle joue. Perdue dans son petit monde. Ça n'a pas fini de me surprendre.

J'ai examiné mes lettres. P, L, I, E, L, R. J'ai réfléchi un moment, puis j'ai ajouté un mot à la grille. PALLIER, avec le A pris dans le mot SAC.

– Pallier, avec deux L ? Qu'est-ce que c'est que ça ? a demandé Alex.

– Un verbe, ai-je répondu en prenant les cinq dernières lettres qui restaient dans le sac. Ça veut dire remédier à. C'est pas pareil qu'un palier dans l'escalier.

– Je te crois pas.

– T'as tort, ai-je répondu en riant.

Elle m'a dévisagé un petit moment, puis a secoué la tête et s'est replongée dans l'étude de ses lettres. Elle ne pouvait pas gagner. J'avais déjà une avance de 100 points et il ne restait plus de lettres. La partie était presque terminée. Elle ne gagne jamais, mais ça n'a pas l'air de la déranger. Elle se concentre toujours jusqu'au bout, chaque mot dure des heures, elle réfléchit à fond et ne joue pas avant d'être absolument sûre d'elle. C'était probablement ce qui m'inquiétait et m'empêchait d'aborder l'idée de notre départ. Elle allait vouloir y réfléchir à fond, peser le pour et le contre afin de prendre la meilleure décision, être sûre de ne pas commettre d'erreur. De toute façon, il allait bien falloir que je me décide. Je n'allais pas attendre jusqu'à la saint-glinglin.

Pourquoi pas maintenant, alors ?

Maintenant ?

C'est aussi bien qu'à un autre moment. Tu l'as dit toi-même – inutile de regretter que la situation soit ainsi, qu'on ne puisse pas reculer l'horloge du temps, qu'on n'ait pas droit à une autre chance. La seule chose à faire, c'est de se dire : que peut-il arriver de pire ? Et puis, on se lance.

D'accord. Au pire, que pourrait-il arriver ?

Vas-y alors. Ouvre la bouche et lance-toi. J'ai pris une profonde inspiration.

– D'ici Noël, on pourrait être loin d'ici.

Alex n'a pas bougé. L'espace d'un instant, j'ai cru qu'elle ne m'avait pas entendu. Puis elle a relevé la tête en me fixant droit dans les yeux.

– Quoi ?

– On pourrait aller quelque part, ai-je répété. On saute dans un train et on s'en va là où tu veux.

– De quoi tu parles ?

Je me suis éclairci la gorge.

– Toi et moi, tu vois. Si on partait quelque part ?

– En vacances ?

– Oui, ai-je répondu en haussant les épaules… En vacances. Ou peut-être…

– Toi et moi ?

– Pourquoi pas ?

– Quand ?

– Maintenant, demain, après Noël. Quand tu voudras.

Elle n'a rien dit, elle s'est contentée de me regarder au fond des yeux. Insupportable. J'ai dû détourner le regard et j'ai examiné les lettres sur mon chevalet. F, N, R, I, E, U. Des petits mots idiots m'ont sauté aux yeux. FIN. Allez, Alex. PEUR. Dis quelque chose. RIEN. N'importe quoi. FURIE. Oui. RUE. Non. FREIN. N'importe quoi. RUINE. Ne ris pas…

– On en discutera demain, a-t-elle fini par lâcher.

– Demain, c'est la veille de Noël, ai-je répondu.

– Je sais.

– Il ne faut pas se décider trop tard. Tout sera réservé.

– Je sais. Laisse-moi le temps d'y réfléchir, d'accord a-t-elle dit en se levant. Bon, il faut que j'y aille maintenant. J'ai promis à maman de l'aider à se préparer pour son audition…

– Mais…

– On réglera tout ça demain.

– N'importe où, ai-je répété. Où tu voudras.

– Je sais, Martyn. Je sais. N'importe où. Je vais y réfléchir. D'accord ?

– D'accord.

Nous allions en discuter demain.

Elle m'a embrassé avant de me quitter. Un petit bisou sur la joue et hop ! elle avait disparu. Je l'ai regardée traverser la rue déserte et suivre le trottoir jusque chez elle, silhouette sombre et menue, courbée pour résister à la neige qui tombait. Chacun de ses pas rendait plus froide la trace de son baiser sur ma joue.

La voilà partie, ai-je pensé. La silhouette inconnue d'une fille qui disparaît dans un linceul de neige.

Mais l'ai-je jamais connue ?

Je suis resté sur le seuil un moment, à attendre, mais elle ne s'est pas retournée.

Elle ne se retournait jamais.

Je ne l'ai jamais revue.

7.

MARDI

En ne la voyant pas arriver le lendemain matin, je n'étais pas inquiet. En tout cas, pas au début. Contrarié sans doute. Mais pas inquiet. Alex était souvent en retard. Elle ne comprenait pas pourquoi ça me dérangeait.

– Je suis là maintenant, non ? disait-elle.

Elle avait raison, en un sens. Si on aime quelqu'un, qu'importe combien de temps il faut l'attendre – tant qu'il finit par arriver, ça va.

Pourtant, je ne peux pas m'en empêcher. Je déteste attendre. Je ne comprends pas pourquoi les gens sont en retard. À moins qu'il ne se produise une catastrophe, on n'a aucune raison de l'être. Aucune. Moi, je ne suis jamais en retard. Je me débrouille toujours pour être en avance. Si jamais il se passe quelque chose, j'ai une marge de temps pour me rendre là où je vais.

Si j'y parviens, pourquoi pas les autres ?

C'était la veille de Noël, je le lui avais bien dit. Les boutiques allaient fermer de bonne heure. Je voulais me tirer d'ici. Maintenant. Partir, monter dans un train, un bateau, un avion, on y va et c'est parti. N'importe où. J'avais été clair.

Il était neuf heures et demie. Bon sang, mais qu'est-ce qu'elle fichait ?

J'ai attendu. Dix minutes, vingt minutes, une demi-heure. Je lui ai téléphoné. Pas de réponse. J'ai encore attendu en faisant les cent pas et en regardant la pendule toutes les deux minutes. J'ai rappelé. Pas de réponse. Je me suis fait du thé, j'ai râlé, j'ai encore fait les cent pas. À dix heures et demie, je ne pouvais plus attendre davantage. J'ai mis mon manteau et mon bonnet et je suis allé chez elle.

L'épaisse couche de neige qui recouvrait le sol craquait sous mes semelles tandis que je courais dans la rue. Il ne neigeait plus, mais il faisait encore un froid de loup dans ma rue sinistre et déserte. Une tranquillité de mauvais augure. Dans le ciel bas, de lourds nuages gris chargés de neige pesaient, comme un brouillard sombre. Le bruit de mes pas crissant sur la neige résonnait, isolé et triste, dans l'atmosphère maussade.

Pas de voiture devant chez elle. Pas de traces de pneus non plus, donc elle avait dû partir depuis déjà assez longtemps. Planté devant la porte, j'ai scruté les fenêtres. Rideaux ouverts, lumières éteintes, aucun mouvement. La maison paraissait vide. On la sentait vide. Je la savais vide. J'ai monté les marches et j'ai quand même sonné. Aucune réaction. Personne n'a bougé, aucune porte ne s'est ouverte, aucune conversation étouffée ne m'est parvenue. J'ai fait un pas de côté pour regarder par la vitre. Rien. Rien qu'une entrée vide aux contours flous à travers le verre dépoli, et au fond, la forme indistincte de la porte de la cuisine, dont l'entrebâillement révélait un triangle déformé de carrelage noir et blanc. Vide. En reculant, j'ai heurté du pied une bouteille de lait. La bouteille a vacillé et je l'ai rattrapée juste à temps pour l'empêcher de se renverser. Deux bouteilles de lait, pleines. Abandonnées.

Personne chez elle.

J'ai fait demi-tour.

Où était-elle ? Si elle avait été obligée d'aller quelque part, pourquoi ne m'avait-elle pas téléphoné ? Il était onze heures. Bon sang, mais qu'est-ce qu'elle fichait ?

À mi-chemin, je me suis arrêté pour regarder par-dessus mon épaule. Je ne sais pas ce que j'espérais voir. La vieille Morris sale qui tournait le coin de la rue, Alex penchée à la portière, qui souriait en me faisant signe et en m'appelant, Martyn ! Hé Martyn… mais il n'y avait rien. Et il me suffisait de regarder la rue pour savoir qu'il ne s'y passerait rien. Quelque chose dans l'air défiait tout espoir.

Peut-être…

Peut-être attendais-je en vain ? Peut-être…

Non.

Elle n'aurait pas fait ça. N'y pense même pas.

Je suis rentré chez moi.

Ça doit être un truc idiot, me suis-je dit. Elle devait sortir avec sa mère, elles se sont disputées et elle a oublié de me téléphoner. Ou peut-être le téléphone était-il en dérangement ? Mais alors, elle n'avait qu'à traverser la rue pour venir me prévenir. Deux minutes. Ou peut-être sont-elles sorties de bonne heure, pour faire des courses ou je ne sais quoi, et que la voiture est tombée en panne ? Elles étaient coincées quelque part, coincées dans leur voiture. Et elle ne pouvait pas m'appeler parce qu'il n'y avait aucune cabine téléphonique à proximité. Ou peut-être avaient-elles eu un accident ? Les routes étaient mauvaises, couvertes de verglas. Elles allaient tranquillement quelque part en bavardant, elles avaient pris un virage trop vite, elles avaient dérapé, elles étaient rentrées dans une haie ou elles avaient heurté une autre voiture… oui, c'était sans doute ça. Un accident. Elles étaient à l'hôpital. Ça expliquerait tout.

Accroche-toi à cette idée. C'est la bonne. La solution. Qui explique tout.

Tout le reste, n'y pense même pas. N'y pense même pas.

Mais en entrant chez moi et en montant l'escalier, je savais déjà ce que j'allais trouver. La vérité sait se débrouiller pour briller, même si on se donne beaucoup de mal pour l'ignorer.

La chambre de papa paraissait froide et abandonnée. Comme une pièce dans laquelle personne n'a jamais vécu. J'ai tiré les rideaux et j'ai ouvert la fenêtre, mais l'air s'est refusé à entrer. Les ombres pâles du matin chuchotaient des souvenirs dans le vide.

Des yeux fixes. Qui ne ressemblent pas à des yeux. Muets, aveugles. Pâle, blafard mort. Non, pas mort, seulement endormi.

Papa.

Sommes-nous mauvais ? Alex.

Regarde-la, regarde cette fille. Qui d'autre ferait cela pour toi ?

J'ai traversé lentement la chambre. Il va falloir que tu lui fermes les yeux. J'ai ouvert l'armoire.

Dis-moi ce que tu veux que je sois et je le ferai.

Jouer un rôle.

N'importe quoi ; une situation, une émotion, une personne, n'importe quoi. Je vais jouer pour toi.

C'était une actrice.

Parfumée, maquillée, artificielle.

Sa mère était actrice.

Elle peut faire n'importe quoi : les voix, la démarche des gens, leurs gestes, n'importe quoi. Elle est géniale.

Pas de veste. Il n'y avait pas de veste dans l'armoire. Qu'est-ce que tu fabriques ?

Rien. Je range seulement ses affaires.

Disparue.

Je croyais qu'il portait l'autre.

La marron. Pas la noire.

C'est bien la veste qu'il portait, Martyn. Je m'en souviens. D'accord ?

Non, pas d'accord.

Elle peut faire n'importe quoi : les voix, la démarche des gens, leurs gestes, n'importe quoi. Elle est géniale.

Son sac.

Un de ces vieux sacs à dos, avec plein de poches et de fermetures Éclair, assez grand pour transporter un petit cheval.

Je me suis dirigé vers le secrétaire.

Je me sens un peu barbouillée, c'est tout.

Je l'ai ouvert.

Ça t'embête pas de descendre ?

Pas de chéquier, ni de carte de crédit.

Le rugissement de la chasse d'eau. Les robinets qui coulent. Des pas au plafond. Qu'est-ce qu'elle fabrique ?

Pas d'extrait de naissance, ni de livret de famille, ni de carte de Sécurité sociale. Pas de lettres du notaire.

Donne-moi la carte de crédit, je vais la ranger dans le secrétaire.

Comment a-t-elle su ?

Excuse-moi.

Pourquoi Alex ?

Je ne suis pas seulement jolie, tu sais.

Pourquoi ?

Je ne suis pas seulement jolie, tu sais.

Pourquoi ?

Je ne suis pas seul…

LA FERME !

Hébété, anéanti, je suis redescendu me jeter dans un fauteuil. Je ne pouvais pas y croire. Je n'y croyais pas. Elle n'aurait pas fait une chose pareille. Ou bien si ? Non. Non, il devait exister une explication simple. Réfléchis bien.

J'y ai bien réfléchi.

Alex près de l'armoire. Tendue, nerveuse, ses yeux font le tour de la pièce. Alex près du secrétaire. La réalité. Son rire. Alex qui vomit. Pauvre Alex. Jolie Alex. Maligne Alex… j'y ai réfléchi à me coller la migraine et puis j'y ai réfléchi à nouveau – Et ça ? Et ci ? Oui ? Non ? Peut-être ça ? Peut-être ci ? Comment ? Quand ? Pourquoi ? Où ? – mais je n'ai réussi qu'à me donner le vertige. Je tournais en rond. Impossible de réfléchir logiquement. Comme essayer de ranger une pieuvre dans une boîte : chaque fois que je réussissais à caser une patte, une autre s'échappait en se tortillant. Je n'arrivais à rien. Et puis je me suis souvenu d'une chose qu'avait dite Sherlock Holmes : « Quand on a éliminé l'impossible, ce qui reste, même si c'est improbable, ne peut être que la vérité. » Alors, je me suis préparé une tasse de thé, je me suis éclairci les idées, puis je me suis assis et j'ai éliminé tout l'impossible que j'ai pu. Et voilà mes conclusions : Alex a pris le chéquier, la carte de crédit, les papiers d'identité de papa et les lettres. Elle a également pris la veste. Et sans doute encore d'autres vêtements. Une chemise, un pantalon, peut-être un manteau. Elle a fourré tout ça dans son satané grand sac et elle a quitté la maison comme si de rien n'était. Pourquoi ? Réfléchis... sa mère ! Évidemment ! Sa mère. Elle mesure à peu près la même taille que papa, ils ont le même âge, la même allure. Elle sait jouer un rôle. Colle-lui une vieille chemise et une vieille veste, un petit coup de maquillage... elle a les papiers de papa... elle s'habille comme papa et ce matin, à l'aube, elle va à la banque retirer les trente mille livres. Personne ne remarquera la différence, et surtout pas un employé de banque. Impossible ? Non. Improbable ? Peut-être.

Mais si, ça l'est.

C'est impossible.

Mais alors...

Je sais pas.

Peut-être.

Oui.

Non.

La pieuvre était encore en train de prendre le large. Je l'avais perdue. J'ai même commencé à me dire que tout ça n'était qu'une plaisanterie. Une surprise.

Même si Alex avait vraiment pris le chéquier, les vêtements et tout le bazar, même si sa mère était bien allée à la banque retirer la totalité de l'argent… cela ne signifiait pas obligatoirement qu'elles voulaient me rouler, non ? Peut-être qu'elles essayaient simplement de m'aider ? De m'épargner la peine de prendre l'argent bout par bout ? Après avoir récupéré les trente mille livres, Alex allait venir frapper à ma porte, avec un grand sourire et les poches bourrées de liquide – wouaouh ! Mais quelque chose avait mal tourné. À la banque. Oui, sûrement, quelque chose avait mal tourné à la banque ! Elles s'étaient fait prendre. Elles sont en ce moment au commissariat, en train de se faire interroger…

Ne fais pas l'idiot !

Si la mère d'Alex s'était fait arrêter, déguisée en William Pig, en possession du chéquier et de cet extrait de naissance de mon père, au moment où elle essayait de prendre trente mille livres sur son compte, la police aurait débarqué ici depuis des heures. Pas besoin d'être l'inspecteur Morse pour comprendre ça.

La vérité.

Regarde-la en face.

Elles sont parties. Alex est partie. Prends l'oseille et tire-toi. Bonjour l'arnaque ! Elle t'a eu. Elle s'est servie de toi. Elle t'a trahi. Tout ça, c'était du cinéma. C'est une actrice. Comment as-tu pu seulement imaginer autre chose ? Toi, Martyn Pig, avec Alex ?

La belle Alex. Aucune chance. Même pas dans dix mille ans. Que peux-tu lui offrir ? Dean avait raison. C'est une femme. Tu sais ce que ça veut dire ?

Dean. Depuis le début, elle était de mèche avec Dean. Bon petit soldat. Pas aussi crétin que tu croyais. Tous les deux. Ils se sont servis de moi pour se débarrasser de papa…

Non.

Elle ne m'aurait pas laissé le rouler dans la farine.

Si elle était de mèche avec lui, elle ne m'aurait pas permis de le rouler.

Non.

Seulement elle et sa mère. Mère et fille. Le passé et l'avenir. Je m'étais fait posséder par une vieille peau et un tendron.

Oui.

Quand ?

Quand a-t-elle tout manigancé ? Dès le début ? Et qui a eu cette idée ? Sa mère ? Ou elle ?

Non.

Comment aurait-elle pu ?

Impossible.

Non.

Mais alors, où a-t-elle disparu ?

Où est-elle ?

Qu'est-ce qu'elle fait ?

Que vais-je faire ?

Que puis-je faire ?

Ai-je jamais compté pour elle ?

Alex ?

Réponds-moi.

Dis-moi ce qui s'est passé.

Dis-moi ce que tu as fait.

Dis-moi que c'est impossible.

Dis-moi.

Je t'en prie.

À minuit, j'étais toujours assis là lorsque la sonnerie de la porte d'entrée a retenti.

En un éclair, toutes mes méchantes réflexions sur elle se sont envolées. J'avais tort. J'étais idiot. Un vrai crétin. Comment avais-je pu la croire capable de commettre une chose pareille ? Me trahir ? Alex ? Nous étions amis. Chacun était le meilleur ami de l'autre. Et peut-être même plus. J'ai couru à la porte et je l'ai ouverte à la volée.

– Nous cherchons M. Pig.

La police. Ils étaient deux. Celui qui parlait avait une chevelure argentée, des traits burinés et un regard acéré. De taille moyenne, solide, avec de larges épaules. Il avait l'air fripé. Sous son imperméable, il portait un costume bleu sombre qui ne semblait pas être à sa taille.

– M. William Pig, a-t-il insisté. Il est là ?

J'ai secoué la tête.

Il a sorti sa carte.

– Je suis l'inspecteur Breece. Et voilà le sergent Finlay.

Finlay a lui aussi sorti sa carte. Grand avec un visage triste, âgé d'une trentaine d'années, il paraissait un peu borné, mais ne l'était sans doute pas. Breece a jeté un coup d'œil dans l'entrée derrière moi.

– Où est ton père, fiston ?

Les lumières se sont allumées dans la maison d'en face tandis que les rideaux bougeaient.

– Tu es tout seul ? a demandé Breece.

J'ai hoché encore une fois la tête.

– Et ta maman ?

Nouveau hochement de tête.

– Tu peux parler, fiston ?

– Oui, ai-je dit.

– Comment tu t'appelles ?

– Martyn.

Martyn Pig. Martyn avec un Y, Pig avec un I et un seul G.

– Où est-il, Martyn ?

– Qui ?

– Ton père.

– Je sais pas.

Il a soupiré.

– Tu crois qu'on peut entrer ?

– Pour quoi faire ?

– Parce qu'on gèle dehors, voilà pourquoi.

J'ai hésité. Breece restait là, à attendre.

– Vous avez un mandat de perquisition ? ai-je demandé.

– Un mandat de perquisition ?

J'ai haussé les épaules.

Breece a encore soupiré.

– Écoute, Martyn. On veut seulement discuter. De ton papa. On en a pour une minute.

Je n'ai rien dit.

– S'il te faut un mandat, a-t-il continué de sa voix sans timbre, le sergent Finlay attendra ici pendant que je retournerai au commissariat. Là, il faudra que je réveille quelqu'un pour signer le mandat. Ensuite, je referai le trajet en sens inverse, et, le temps que j'arrive ici, je serai d'une humeur de chien. C'est ce que tu veux ?

Je ne savais même pas s'ils avaient besoin d'un mandat de perquisition. C'était juste histoire de dire quelque chose. Que pouvais-je faire ? J'ai reculé pour les laisser entrer.

Breece m'a suivi dans la cuisine et il s'est assis pendant que je préparais du thé. J'ai entendu Finlay monter lourdement l'escalier.

– Où va-t-il ?

– Aux toilettes, a répondu Breece.

J'ai sorti trois tasses du placard et je les ai rincées dans l'évier. Le reflet de Breece tremblait dans la fenêtre de la cuisine. Il n'avait pas enlevé son imperméable. Il avait les cheveux humides. Son calepin était ouvert sur la table.

— Tu connais Dean West ? m'a-t-il demandé.

J'ai failli laisser tomber une tasse.

— Quoi ?

— Dean West, a-t-il patiemment répété. Tu le connais ?

— Je croyais que vous vouliez parler de mon père ?

— Réponds donc à la question, s'il te plaît. Connais-tu Dean West ?

— Plus ou moins.

— Plus ou moins ?

— Je sais qui c'est.

Breece s'est mis à feuilleter les pages de son calepin.

— Grand, blond, queue-de-cheval ? Il conduit une moto.

— Ça se pourrait bien.

— Quand l'as-tu vu pour la dernière fois ?

L'eau bouillait. J'ai rempli les tasses.

— Je ne le connais pas vraiment, ai-je dit. C'est l'ami d'une amie, vous savez.

Breece ne quittait pas mon dos des yeux.

— Quand l'as-tu vu pour la dernière fois ?

— Je ne sais pas. Il y a plusieurs mois, en été. Chez Boots.

— Boots ?

– La pharmacie.

– Pas depuis ?

J'ai secoué la tête.

– Je ne crois pas, je ne m'en souviens pas.

Breece a griffonné quelque chose dans son carnet.

– À quel niveau Dean est-il concerné ? ai-je demandé.

– C'est ce que nous tentons de savoir.

Des pas ont descendu l'escalier, puis Finlay a passé la tête par l'entrebâillement de la porte.

– Chef !

Breece s'est levé pour aller dans l'entrée. Il boitait légèrement, comme s'il avait un pied plus lourd que l'autre. Ils ont échangé quelques mots à voix basse, puis Breece est revenu dans la cuisine.

J'ai entendu Finlay s'agiter dans le salon.

– Qu'est-ce qu'il fait ? ai-je demandé.

– Où est ton père, Martyn ?

– Je sais pas.

– Et ta mère ?

– Elle n'habite pas ici.

– Où habite-t-elle ?

– J'en sais rien.

Il a secoué la tête.

– Quand as-tu vu ton père pour la dernière fois ?

J'ai repêché les sachets de thé dans les tasses, j'ai visé la poubelle mais j'ai loupé mon but.

– Samedi.

– Où ça ?

– Ici. Il est sorti.

– Pour aller où ?

J'ai versé du lait dans les tasses, j'ai remué et j'en ai tendu une à Breece.

– Au pub, probablement.

– Et depuis, tu ne l'as plus revu ?

– Non, ai-je répondu en m'asseyant.

– Tu ne t'es pas inquiété ?

– Ça lui arrive souvent de disparaître plusieurs jours. Il boit.

Finlay est entré. Il est resté près de la fenêtre ; il avait l'air de s'ennuyer.

Je ne comprenais rien à ce qui se passait. Qu'est-ce qu'ils savaient ? Étaient-ils au courant, pour papa, ou pas ? Pourquoi posaient-ils des questions sur Dean ? Je ne savais pas quoi décider, mentir ou simplement me taire ? Difficile de mentir de façon convaincante lorsqu'on ignore ce que sait la personne en face.

Breece a bu son thé, puis il a fouillé dans la poche de sa veste et en a sorti quelques papiers. Il les a dépliés et les a posés sur la table pour que je puisse les lire.

Cher M. Pig, conformément à notre entretien du 1ᵉʳ décembre, je vous confirme par la présente que, comme vous l'avez demandé, un chèque d'un montant de trente mille livres a été versé sur votre compte ce matin, pour solde…

En levant les yeux, j'ai croisé le regard de Breece. Ses yeux bleu clair m'ont transpercé, sans ciller. Sans prononcer un mot, il a posé un autre papier sur la table.

Des signatures. *W. Pig*, *W. Pig*, *W. Pig*, *W. Pig*… des gros W mous, des petits Pig tout ratatinés.

J'ai entendu la voix d'Alex dans ma tête « Inutile de laisser traîner ça par ici, hein ? Je vais le jeter aux cabinets ».

– Des lettres adressées à William Pig, a déclaré Breece simplement. Ton père.

– Je ne sais rien…

– Et des fausses signatures. On les a trouvées chez Dean West ce matin.

– Chez Dean ?

– Il est mort dans un accident hier après-midi.

– Il est mort ?

– Sa moto est passée sous un bus, en bas de la rue, au rond-point en bas de la colline. Les freins ont lâché.

– Quoi ?

– Ils ont lâché. Comme ça. Les câbles peut-être sectionnés. Exprès.

– Je ne comprends pas.

Breece m'a observé un petit moment, puis il a remis la main dans sa poche et sorti une pochette en plastique transparent qu'il a posée également sur la table. À l'intérieur, il y avait un bout de tissu bleu plié. Comme un gant de toilette. C'était un gant de toilette. À moi.

– Le sergent Finlay vient de trouver cela dans ta salle de bains, a déclaré Breece.

Le gant de toilette était maculé de noir.

De l'huile.

Les freins.

Dean.

Alex.

Non, ai-je pensé. Ce n'est pas vrai. Des câbles de frein sectionnés ? Pas pour de vrai. Ce genre de choses n'arrive que dans les livres. C'est ridicule.

– Je…, ai-je commencé.

– D'où vient cette huile, Martyn ?

– Je sais pas.

– Que faisait Dean West ici ?

– Il n'était pas…

– Où est ton père ?

– Je ne sais pas.

– Où étais-tu hier à midi et demi ?

– J'étais ici !

– Chef ! l'a interrompu Finlay.

Breece a levé les yeux, agacé. Finlay s'est contenté de le regarder. Comme s'il le mettait en garde. Breece a poussé un soupir et s'est tourné à nouveau vers moi.

– Y a-t-il quelqu'un à qui tu puisses téléphoner ? m'a-t-il demandé d'une voix calme. Un parent ? Une tante, un oncle ?

– Pour quoi faire ?

– Il faut que nous te posions encore des questions. Tu es mineur. Un adulte doit être présent.

– Je n'ai pas de famille.

– Des amis ? Des voisins ?

J'ai secoué la tête et Breece s'est levé.

– Prends ton manteau, Martyn…

– Pour quoi faire ?

Sans faire attention à moi, il s'est tourné vers Finlay tout en boutonnant son imper.

– Préviens les services sociaux, Don.

J'ignore de quelle voiture il s'agissait, mais elle était vaste et confortable, avec un tableau de bord plein d'écrans en lumière tamisée. Finlay conduisait et Breece était derrière, avec moi. De près, je sentais l'odeur de sa sueur et l'amertume de son haleine chargée de whisky. Nous avons pris la grande rue et la voiture ronronnait discrètement dans la nuit. La neige s'était transformée en pluie d'hiver noire. Un seul essuie-glace balayait sans effort le pare-brise, tranchant d'avant en arrière comme une mince lame noire. *Chooou-chuch, chooou-chuch, chooou-chuch…*

Il avait beau être tard, les rues étaient encore animées. Des bandes de fêtards marchaient en vacillant, criant et riant sous la pluie, le visage luisant d'alcool. Certains d'entre eux avaient des guirlandes et des chapeaux de Noël dans les cheveux, d'autres faisaient sortir des serpentins gluants ou soufflaient dans des sifflets. Des fêtes de bureau, des boîtes de nuit, des réveillons de Noël.

Finlay a poussé un juron en faisant un écart pour éviter une fille nettement ivre, vêtue d'une robe courte et brillante, qui vacillait dans le caniveau sur ses talons hauts. Breece n'a pas réagi, il restait assis là tout droit, les bras croisés, les yeux fixés sur la pluie. Ras le bol, sans doute. De travailler tard. La veille de Noël.

J'ai regardé la pendule sur le tableau de bord – une heure du matin.

C'était Noël.

Le commissariat était propre et brillamment éclairé. Un long bâtiment de briques pâles à l'entrée de la ville, bâti au milieu de pelouses pelées et d'allées à peine en pente. Un endroit apaisant. Tranquille. Une oasis dans le désert de bruit d'une petite ville.

À l'intérieur, le sol était couvert d'une moquette bleu marine qui étouffait le bruit de nos pas ; Breece m'a fait passer devant l'accueil. Nous avons franchi les portes de sécurité, grimpé un escalier en colimaçon et enfin suivi une enfilade de couloirs étroits. Des claviers cliquetaient doucement derrière les portes des bureaux entrouvertes. On entendait des téléphones à la sonnerie assourdie. Des radios invisibles émettaient des grésillements et des sifflements.

On m'a emmené dans une petite pièce semblable à un bureau, au bout d'un couloir. Breece m'a fait asseoir en m'ordonnant d'attendre, puis il est sorti. Une policière en uniforme se tenait près de la porte, les mains dans le dos, les yeux fixés sur le mur. Elle était petite et boulotte, et ses cheveux ternes étaient coupés au carré. Une femme sévère. Je lui ai adressé un sourire, mais elle ne me l'a pas rendu.

C'était un endroit exigu, à vrai dire guère plus qu'un cube. Une table, des armoires de rangement, deux chaises dures contre le mur, un distributeur d'eau, et des feuilles de papier punaisées sur un tableau mural. La table, jonchée de tout un tas de trucs, était un de ces meubles bon marché en faux bois noir. Un écran d'ordinateur, un clavier, des tasses remplies de stylos, un téléphone, la photographie encadrée de deux gamins et leur chien, des mugs à café sales, des emballages de sandwichs vides, des dossiers, des chemises, du papier partout. Je me suis demandé comment quelqu'un pouvait travailler dans ces conditions. Dans une telle pagaille.

Sur l'écran de l'ordinateur, une liste de chiffres verts luisaient doucement. Je les ai étudiés pendant un petit moment sans trouver ce qu'ils pouvaient signifier.

La policière s'est éclairci la gorge et je me suis retourné pour la regarder parce que je croyais qu'elle s'apprêtait à parler, mais non, elle se raclait simplement la gorge. Elle a continué à contempler le mur. Elle faisait ça très bien.

Breece est revenu au bout de dix minutes, l'air fatigué et énervé. Apparemment, il n'avait pas réussi à mettre la main sur quelqu'un des services sociaux. Ils allaient devoir attendre le lendemain pour m'interroger.

– Ce qui signifie que je peux rentrer chez moi ?

– Non, a répliqué Breece en souriant mais sans la moindre trace d'humour.

J'ai cru qu'ils allaient me faire passer la nuit en cellule, ce qui aurait pu être intéressant. Une pièce vide et froide : murs blancs et sol de béton, lits superposés, cabinets sans couvercle, judas qui s'ouvrirait dans la porte. J'aurais pu m'asseoir sur le bord du matelas, la tête entre les mains, le regard fixé sur mes pieds, tandis que le clair de lune passant à travers la fenêtre à barreaux aurait jeté une ombre de prison sur mon visage. Mais manifestement, j'étais trop jeune pour ça. Alors, ils m'ont mis dans une drôle de petite pièce sans fenêtre, avec un lit normal, un tapis, deux chaises, des toilettes et un lavabo séparés, des tableaux au mur et même une petite télévision portable. Charmant. Une chambre d'hôtel bon marché. Je ne suis jamais allé dans un hôtel bon marché, mais c'est ainsi que je me l'imagine.

La policière m'a emmené et elle est restée près de la porte pendant que j'examinais les lieux.

– Installe-toi, m'a-t-elle ordonné froidement.

Je me suis assis sur le bord du lit et j'ai enlevé mes chaussures.

– Merci, ai-je répondu.

Elle a fermé la porte.

J'aurais dû le savoir. J'aurais dû le comprendre. S'il s'était agi d'un roman, d'un polar, les indices ne m'auraient pas échappé, j'aurais deviné ce qui s'était passé. C'était évident.

Alex avait tué Dean.

Les empreintes de pas dans la neige, qui traversaient la rue jusqu'à la moto de Dean, c'étaient les siennes. Lundi. Alex avait dû se dépêcher de revenir de chez lui pendant qu'il était chez moi. Elle avait coupé les câbles de frein de sa moto, puis, en douce, elle était repartie jusqu'au rond-point en bas de la colline où elle l'avait attendu. Cachée derrière une voiture en stationnement, sans doute. Elle avait attendu que sa moto sans freins rugisse sur la route. Elle avait regardé, pour être bien sûre, et assisté à sa mort. Voilà pourquoi elle était si bizarre quand elle était arrivée : elle se frottait les mains et guettait la sirène de l'ambulance. Elle venait juste de le voir mourir.

J'aurais dû comprendre. J'avais entendu la moto de Dean s'écraser. Bon, je ne l'avais pas vraiment entendue s'écraser. Mais je l'avais entendue s'arrêter brutalement. Au pied de la colline, au rond-point.

Je l'avais entendue et ça ne m'avait pas alerté. Une illusion acoustique.

Crétin !

Les traces noires sur les doigts d'Alex, c'était de l'huile. Je les avais vues. Elle avait dû les essuyer sur le gant de toilette en montant dans la salle de bains. Et après, elle avait pris le chéquier et tout le reste. En faisant semblant d'être malade pour que je reste en bas, la même technique que pour récupérer les vêtements de papa.

D'accord. Tu peux fermer la porte. À clé si tu veux. Je vais au salon. Ne t'inquiète pas, je n'entendrai rien.

C'était gênant.

Mais sectionner les câbles de frein ? Impensable. Comme une idée sortie d'une bande dessinée. Comment savait-elle ce qu'il fallait faire ? Où couper ? Comment couper ? Quoi couper ? Incroyable. Une meurtrière. Alex la meurtrière, à l'œil froid et calculateur, un assassin, une tueuse…

Brusquement, la réalité m'a frappé de plein fouet.

« Hé, m'a-t-elle apostrophé, on n'est pas dans un de tes jeux d'enfant idiots. On fait pas semblant, là. On n'est pas dans un roman policier ou dans une bande dessinée. On est dans la réalité. Réfléchis bien. Elle a tué quelqu'un de sang-froid. Ta précieuse Alex a assassiné quelqu'un pour de bon… »

Plus la vérité m'apparaissait clairement, plus je me sentais anéanti.

Alex avait tué Dean. Ce n'était pas un accident. Elle avait fait exprès. C'était une vengeance préméditée. Il l'avait humiliée, à cause de lui elle s'était sentie une moins que rien. Il s'était servi d'elle. Il fallait qu'il paye. Je pouvais comprendre cela. Moi-même, j'aurais ressenti la même chose. Mais le tuer… ?

Non.

C'était trop. Trop de réalité. La réalité réelle. Pas seulement… pas seulement cette autre réalité dans laquelle je baignais depuis la semaine précédente. Une réalité extérieure. Vraiment trop dure à avaler.

Tandis que j'étais là à réfléchir, mes mains se sont mises à trembler, mon estomac s'est révulsé et l'instant d'après, sans que je sache comment, j'étais agenouillé devant la cuvette des cabinets à vomir tripes et boyaux.

Depuis, j'ai bien réfléchi et je ne comprends toujours pas. Évidemment, je n'ai jamais aimé Dean. Je le haïssais. Ce nul, cet imbécile, ce connard inutile ne comptait pas pour moi. S'il était tombé d'une falaise ou mort de maladie, je n'aurais pas versé une seule larme, alors pourquoi cela me dérangeait-il tellement qu'Alex l'ait tué ? Pourquoi cela me faisait-il peur ? Pourquoi ça me paraissait aussi mal ? À cause de la douleur ? De la violence ? De l'intention ? De la culpabilité ? Avais-je de la peine pour lui ? Pour ses parents, ses frères, ses sœurs… ?

Vraiment, je n'en sais rien.

Mais ce soir-là, quelque chose m'a pris au ventre et m'a retourné les entrailles.

Après m'être lavé le visage, j'ai fait quelques pas dans la pièce ; mon ventre s'est calmé et mes mains ont enfin cessé de trembler. Mais je ne me sentais toujours pas trop bien. J'avais les jambes brûlantes et pleines de fourmillements, la tête en compote et j'étais couvert de sueur. Impossible de réfléchir lucidement. Des images pénibles ne cessaient de me traverser l'esprit : la moto de Dean s'encastrant dans un autobus ; le choc immonde du métal contre le métal ; Alex qui se frottait les mains, encore et encore, elle se frottait les mains…

Je me suis assis sur le lit et j'ai regardé par terre, en respirant régulièrement, parfaitement immobile. Je ne savais pas si ça servait à quelque chose, mais j'ai continué quand même et, au bout de dix minutes, ma migraine a diminué et les images obsédantes ont disparu. J'étais toujours en sueur, mais ça c'était supportable, et les fourmillements brûlants de mes jambes s'étaient réduits à une démangeaison à peine désagréable.

J'étais prêt à reprendre le cours de mes réflexions.

Comment cela s'était-il passé ?

Pourquoi cela s'était-il passé ?

Qui y avait pensé ?

Cette histoire était-elle une idée d'Alex ?

Sa mère l'avait-elle poussée ?

Ou s'y étaient-elles mises toutes les deux ?

Je ne sais pas. J'imagine que l'affaire s'est bien combinée. La chance. Le destin. La destinée. Tout est déterminé...

Mais quelle que soit la façon dont les choses s'étaient passées, et sans savoir de qui venait cette idée, elles l'avaient exploitée à fond. Elles n'avaient rien négligé. Elles avaient l'argent, les bandes magnétiques avaient disparu, rien ne les rattachait à Dean, ni à moi ni à papa. Moi, je n'avais aucun moyen de réagir. Dean non plus. Ni papa, évidemment.

Leur plan était parfait.

Mais je ne parvenais pas à comprendre pourquoi Alex avait laissé les lettres du notaire et les fausses signatures dans l'appartement de Dean. Elles impliquaient Dean dans la mort de papa, évidemment. Mais la police ignorait que papa était mort. Et même si la police l'apprenait, Dean était également mort. Alors, pourquoi faire ce lien ? Le seul résultat, c'était d'envoyer la police vers moi. Qui Alex voulait-elle désigner du doigt ? Dean ou moi ? Ou nous deux ?

Ou peut-être était-elle...

Ça n'avait pas vraiment d'importance. D'ailleurs, plus rien n'avait d'importance. Comment, quand, où, qui, quoi, pourquoi... ça ne faisait plus aucune différence. Tout ce qui comptait maintenant, c'était de sauver ma peau.

Je me suis étendu sur le lit et j'ai fermé les yeux. Le moment était venu de réfléchir sérieusement.

8.

LE JOUR DE NOËL

Huit heures du matin. J'étais assis au bord du lit en train de nouer mes lacets lorsque Breece a ouvert la porte.

Je n'avais pas dormi. J'avais passé presque toute la nuit assis sur une chaise en plastique, les yeux fixés sur le mur, à me racler la cervelle. Pas facile. Il fallait réfléchir à beaucoup de choses. Il y en avait aussi beaucoup à laisser de côté ; ne pas réfléchir, c'est plutôt ardu comme tâche, surtout lorsque son univers vient de basculer cul par-dessus tête et qu'on n'a pas fermé l'œil depuis vingt-quatre heures. Donc, quand Breece est arrivé, je ne me sentais pas trop bien, mais j'étais quand même fin prêt.

Ou du moins, je le pensais.

Breece portait le même costume que la veille au soir. Soit il ne s'était pas couché, soit il ne possédait qu'un seul costume. D'après les poches qu'il avait sous les yeux et sa démarche lasse, j'ai deviné qu'il n'avait pas dormi. La policière qui a fermé la porte derrière lui paraissait plus gentille que celle de la veille. Plus jeune, plus jolie, des cheveux blond pâle et un visage avenant.

– Bonjour, Martyn, a dit Breece. Je te présente l'agent Sanders. Sally.

J'ai hoché la tête. Breece est venu s'asseoir lourdement sur le lit à côté de moi. Il sentait encore la sueur et le vieux whisky.

– Nous avons retrouvé ton père, m'a-t-il annoncé en me regardant droit dans les yeux. Il est mort. Je suis navré.

Si on n'est pas sûr de sa réaction, la meilleure solution, c'est de ne rien faire. Alors j'ai simplement fixé sur Breece un œil vide. Je n'étais pas du tout préparé à cette éventualité. Comment avaient-ils réussi à le découvrir aussi vite ? Quelle attitude adopter ? Fais comme si t'étais innocent, disait la voix dans ma tête. Imagine ça. Tu es innocent. Tu ne sais rien sur rien.

– Mort ? ai-je répété, abasourdi.

Breece m'observait. Je m'en rendais bien compte. Son expression compatissante ne dissimulait pas le doute au fond de ses yeux. J'ai soutenu son regard. « Tu ne sais rien, lui ai-je déclaré silencieusement. Tu ne sais rien de rien. Tu crois peut-être savoir, mais tu ne sais rien. Personne ne peut savoir ce que j'ai dans la tête. Il n'y a que moi qui le sais. J'en suis sûr. Tu ne sais rien. »

– Je suis navré, a-t-il répété.

270

Mais dans ses yeux, je n'ai vu aucune peine, rien que du soupçon désabusé. Il s'est levé et s'est dirigé vers l'agent Sanders. Sally. Elle est venue s'asseoir et m'a entouré les épaules de son bras. Je n'ai pas pu m'empêcher de remarquer l'odeur sucrée de son parfum – sucrée au point de me donner presque mal au cœur. Mais pas désagréable. Ça me faisait penser au parfum que les filles portent au collège – le bonbon bon marché et les fleurs.

Elle a posé la main sur mon genou.

– Ça va, Martyn ? m'a-t-elle demandé doucement.

J'ai hoché la tête et j'ai commencé à pleurnicher en surveillant Breece du coin de l'œil. De l'autre côté de la pièce, il m'examinait de son regard froid et dur. Il ne voulait pas me parler, il ne voulait pas être près de moi, seulement observer à distance. Étais-je un jeune garçon malheureux ou un menteur sans cœur ?

– Comment… comment il est mort ? ai-je demandé, au bord des sanglots.

– On ne le sait pas encore, m'a répondu Sally.

J'ai regardé sa main sur mon genou. Des doigts fins, pas de bague. Douce et propre.

Je me suis essuyé le nez.

– Quand est-ce… quand est-ce arrivé ? Où… où était-il ?

Sally m'a passé un mouchoir tout en consultant Breece du regard. Il a hoché la tête en silence.

– On a trouvé son corps dans la carrière, a-t-elle expliqué.

– Où ?

– Dans la vieille carrière. Tu la connais ?

J'ai secoué la tête en m'essuyant les yeux.

– Qu'est-ce qui s'est passé ? Il était soûl ? C'était un accident ?

Sally a encore regardé Breece. Il a ôté les mains de ses poches, il s'est passé les doigts dans les cheveux.

– C'est trop tôt pour le dire. Nous en discuterons plus tard, quand tu seras prêt. Il faut que nous te posions un certain nombre de questions.

– À propos de quoi ?

– Plus tard, a-t-il répondu en tirant sur la peau lâche de son cou. Ta tante est ici, a-t-il ajouté.

Merde ! Comment l'avaient-ils dénichée ?

– Elle voudrait te voir.

– Non.

– Elle est ici au commissariat, a répété Breece en me dévisageant d'un air soupçonneux.

– Je veux pas la voir.

– Pourquoi ?

– Je veux pas, c'est tout ! ai-je crié plus fort. Je suis pas obligé, non ?

La main de Sally s'est crispée sur mon genou.

– Eh bien non, a dit Breece. Si tu ne veux pas, d'accord. Mais je ne vois pas…

– Je veux pas. Je veux pas la voir.

Il a plissé les yeux. Cela lui déplaisait, mais il ne pouvait pas y faire grand-chose, pas vrai ? Sûrement pas me forcer. Il a frotté son menton envahi de barbe.

– Tu veux quelque chose à manger ? Un petit déjeuner ?

J'ai secoué la tête.

– Sally va rester avec toi un moment.

J'ai reniflé, avalé ma salive et essayé de paraître bien courageux.

– Non merci, ça va. Je crois que je préfère rester seul pour l'instant.

Il a haussé les épaules et s'est levé.

Sally m'a serré une dernière fois le genou, en souriant tristement.

– Tu en es sûr, Martyn ?

– Oui, ai-je marmonné.

Elle a suivi Breece.

– Inspecteur ? ai-je dit au moment où la porte se refermait.

Breece s'est arrêté.

– Est-ce que je peux avoir une tasse de thé, s'il vous plaît ?

Il m'a dévisagé une seconde, puis il a hoché la tête et refermé la porte.

Pas mal, ai-je pensé. Pas mal du tout. Plutôt convaincant. À vrai dire, ce n'est pas si difficile de pleurer sur commande.

Alex m'a montré comment m'y prendre. Suffit de se brancher sur quelque chose de vraiment triste. Alors moi, j'ai pensé à ce chien qu'on a eu quand j'étais gosse. Jacko. Un petit bâtard brun avec une tache noire sur l'œil. C'était encore un chiot. Je l'aimais. Je l'adorais même. Jusque-là, je n'avais jamais eu d'animal à moi. On allait partout ensemble. Jacko et moi. Inséparables. Et puis, un jour, je suis rentré de l'école et il avait disparu. Papa l'avait viré parce qu'il n'arrêtait pas de faire pipi sur le tapis. Il l'avait vendu à quelqu'un au pub.

Je crois n'avoir jamais surmonté ça. Si j'y repense encore maintenant, ça me fait monter les larmes aux yeux. Mon père était une ordure, une vraie ordure.

Une fois Breece parti, j'ai pas lâché Jacko et j'ai continué à pleurnicher et à renifler un petit moment. Ils avaient sans doute installé des caméras vidéo quelque part, derrière la glace ou planquées dans le mur. Breece était peut-être assis dans la pièce à côté, en train de m'observer sur un écran flou.

Ils m'auraient pas comme ça.

Sally m'a apporté une tasse de thé. Elle me faisait penser à quelqu'un, mais je n'arrivais pas à retrouver qui. Une femme à la télé. Sa bouche… quelque chose dans le dessin de sa bouche, cette petite moue rigolote… Polly, voilà de qui il s'agissait. Polly Je-ne-sais-quoi dans *The Bill*, la jolie blonde. Polly la Policière.

– Voilà ton thé, Martyn, a-t-elle dit doucement.

Elle a posé la tasse sur la table en m'adressant un nouveau petit sourire triste.

– Merci, ai-je répondu d'un air sinistre.

Dès qu'elle est sortie, je me suis pris la tête dans les mains et j'ai recommencé à pleurer. Cette fois, les larmes coulaient pour de bon. Peut-être que je m'étais laissé entraîner trop loin, que j'en avais trop fait, que je m'étais tellement plongé dans le chagrin que même moi, j'y croyais. Ou peut-être que c'était à cause de tout ce qui m'arrivait – maman, papa, Jacko, Alex, Dean, tante Jeanne, la vie, la mort, le vide, tout… et n'importe quoi. Peut-être que j'en avais marre. Peut-être. Qui peut le savoir ? En attendant, impossible de m'arrêter. Assis sur le bord de mon lit, j'ai pleuré toutes les larmes de mon corps, comme un bébé.

Au bout d'un moment, mes larmes se sont taries et mes sanglots se sont calmés. J'étais épuisé. Vidé. Rétamé, l'œil poisseux. Je me suis passé de l'eau fraîche sur le visage, j'ai bu un peu de thé refroidi et je me suis allongé sur le lit.

Pleurer, c'est un sacré boulot. Tout mon corps était fatigué. Déshydraté, probablement. Mais j'avais de nouveau l'esprit clair. L'impression d'être régénéré. Je reprenais le contrôle de la situation. Les larmes avaient évacué toutes les bêtises que j'avais dans la tête. Je me retrouvais l'esprit lavé de frais. Propre. Net. Prêt à réfléchir.

Et j'ai réfléchi.

J'ignorais comment ils avaient découvert papa, mais en tout cas, c'était fait.

Ils avaient donc trouvé les cheveux de Dean sous ses ongles, ainsi que le mégot de cigarette qu'ils avaient sans doute comparé avec les mégots trouvés dans son appartement. Il allait devenir leur suspect numéro un. Maintenant, Dean était mort et il avait un lien avec moi. L'huile. L'huile de la moto de Dean sur un gant de toilette dans ma salle de bains. Premier problème.

Deuxième problème : ils allaient savoir que j'avais menti à propos de Dean. Pourquoi ? Pourquoi avais-je menti ?

Troisième problème : a priori, je pouvais être sûr qu'ils allaient fouiller la maison. Y avait-il quelque chose là-bas ? Une preuve quelconque ? Des restes de bandes calcinées ? Aucune importance, ils ne pouvaient pas savoir de quoi il s'agissait. Et la bande où nous avions enregistré les ronflements pour papa ? Où était-elle ? Alex l'avait-elle prise ? Était-ce grave ? Non. Ils n'allaient pas s'embêter à vérifier les cassettes, sauf s'ils avaient une bonne raison de le faire. À moins que… Non, sûrement pas. Quoi d'autre ? La chambre de papa ? La cheminée ? Des traces de sang ? J'avais tout nettoyé. Et les gants ? Les chaussures, les vêtements, les fibres ? Trop de choses à penser.

Quatrième problème : les lettres, les fausses signatures dans l'appartement de Dean. Comment ? Pourquoi ?

Cinquième problème, sixième problème...

Je ne comprenais pas comment la situation était devenue aussi embrouillée. Dans les livres, les choses ne sont jamais aussi compliquées. Bon, peut-être que si, mais d'une manière différente. Dans les romans, les complications sont en fait assez simples. Des indices, des intrigues, des rebondissements et des fausses pistes. C'est compliqué mais ça peut se résoudre. Mais dans mes embrouilles, les vraies, tout était emmêlé. La même différence qu'entre une pelote de ficelle enroulée serré et un vieux tas de nœuds emberlificoté. Avec la pelote de ficelle, on prend un bout, on déroule lentement et on finit par atteindre l'autre extrémité. Mais avec le tas de nœuds, dès qu'on en attrape un bout, c'est tout le fichu bazar qui bouge. D'un bloc. La pagaille. L'austère simplicité de la fiction opposée au capharnaüm des faits. Qui a dit ça ? Encore Einstein ? Non. Qui alors ? Je sais pas. J'ai dû le lire quelque part. Quoique... Peut-être que personne ne l'a dit. Peut-être que je l'ai inventé tout seul ?

En tout cas, la situation était ridicule. Un nœud inextricable. Même moi je n'y comprenais plus rien, et pourtant, j'avais tout manigancé, depuis le début. J'étais perdu au milieu d'un véritable embrouillamini.

Mon estomac s'est mis à gronder. Ce n'était plus la nausée, mais la faim. Je ne me souvenais pas de la dernière fois où j'avais mangé et, après avoir tant vomi, j'avais le ventre vide. Je mourais de faim. C'était le jour de Noël. J'aurais dû être en train de bâfrer une bonne grosse assiette de Noël. Dinde, patates, saucisses, bacon, sauce, petits pois, choux de Bruxelles…

N'y pense plus. N'oublie pas que tu es en plein deuil alors tu es trop triste pour manger.

Je me suis replongé dans mon sac de nœuds personnel.

La pièce réservée aux interrogatoires ne ressemblait pas du tout à celle de mon rêve. Pas de murs de béton brut luisant de condensation. Pas d'ampoule nue. Pas de Sherlock Holmes au nez crochu pour me fixer de ses yeux cruels. Une pièce, une pièce banale, un bureau : des murs récemment repeints, un éclairage au néon, une jolie table propre, des sièges confortables, et même une fenêtre. Je voyais des nuages pâles moutonner dans le ciel d'une blancheur de papier. Il avait cessé de neiger et le soleil était sorti, juste à temps pour Noël.

Seules ressemblances avec mon rêve : le gros magnétophone noir à double cassette posé sur une étagère et moi, assis devant la table, les mains moites.

Le sergent Finlay a glissé deux cassettes dans le magnéto et enfoncé un des boutons. On a entendu un couinement aigu et une lumière rouge s'est mise à clignoter. De l'autre côté de la table, l'inspecteur Breece a desserré sa cravate en ayant l'air de s'ennuyer.

– Entretien avec Martyn Pig commencé à (il a regardé sa montre) 12 h 32, le 25 décembre. Sont présents : l'inspecteur Samuel Breece, le sergent Donald Finlay et…

Il s'est tourné vers l'homme assis à côté de lui, en l'invitant à donner son nom.

– Peter Bennett, a déclaré l'homme.

– … Et Peter Bennett, des services sociaux.

C'était un jeune homme roux dans le genre mauviette, avec des cheveux clairsemés et une moustache maigrichonne qui ne méritait pas de pousser, genre chenille déplumée. Quand Breece me l'avait présenté une demi-heure auparavant, j'avais immédiatement pensé qu'il ressemblait à un sonneur de cloches. Il avait l'air maladif, la peau blafarde et les lèvres trop minces. Comme s'il ne se nourrissait pas convenablement. Il m'avait fait asseoir, m'avait expliqué la situation – « Tu n'es pas en état d'arrestation, tu es libre de partir quand tu le souhaites, tu n'es pas obligé de répondre aux questions, blablabla… » – mais il avait une voix tellement ennuyeuse que je me suis retrouvé en train d'observer ses vêtements au lieu de l'écouter.

Une veste marron sur une chemise blanche sans col, boutonnée jusqu'au cou, un blue-jean neuf et des mocassins marron. Il n'arrive pas à décider ce qu'il a envie d'être, ai-je pensé. Un professionnel avisé et efficace ou un jeune type cool ? Je lui aurais volontiers expliqué que cela n'avait aucune importance, parce que, dans n'importe quelle tenue, il ressemblerait toujours à un sonneur de cloches.

À présent, il ouvrait un mince porte-documents brun, en sortait un calepin et un stylo et reposait le porte-documents par terre, sous la table. Breece l'observait avec un mépris à peine caché, attendant qu'il ait ouvert son carnet, trouvé une page blanche, pris son stylo et enfin relevé la tête, l'air impatient.

– Prêt ? a demandé Breece avec une pointe de sarcasme.

– Allez-y, inspecteur, a répondu Bennett, le stylo levé.

Toujours blême, Breece s'est tourné vers moi.

– Tu sais que tu es ici de ta propre volonté, Martyn ?

Je n'en avais pas du tout l'impression, mais j'ai quand même hoché la tête.

– Tu pourrais répondre à haute voix, s'il te plaît, pour que ça s'enregistre.

– Oui, ai-je dit.

– Tu n'es pas obligé de répondre à mes questions si tu ne le souhaites pas, tu n'es pas en état d'arrestation.

Nous voulons simplement tirer un certain nombre de choses au clair.

– D'accord.

– Bien, a continué Breece en consultant son propre carnet. Quand nous nous sommes parlé chez toi mardi soir, tu nous as déclaré que tu avais vu ton père pour la dernière fois samedi.

– Oui.

– Tu en es sûr ?

– Sûr que j'ai déclaré ça ou sûr que c'était samedi ? Il m'a regardé.

– Je te repose la question. Quand as-tu vu ton père pour la dernière fois ?

– Samedi. C'est ce jour-là qu'il a commencé à se sentir mieux.

– Mieux ? Pourquoi dis-tu ça ?

– Parce qu'il était malade.

– Quand ?

– Quand quoi ?

– Quand était-il malade ?

– Au moins jusqu'à vendredi, ai-je répondu en fixant le plafond d'un air songeur. C'est le jour où tante Jeanne est passée à la maison. Elle vous le confirmera. Elle l'a vu. Il était encore au lit. La grippe.

– Mais le samedi, il allait mieux ?

– Oui. Il a commencé à se sentir mieux le matin et puis plus tard, vers cinq ou six heures, il m'a annoncé qu'il sortait.

— A-t-il indiqué où il allait ?

— Il m'a seulement prévenu qu'il sortait, ai-je répondu en secouant la tête.

— Qu'est-ce que tu as fait en ne le voyant pas rentrer ?

— Rien. Je vous l'ai déjà dit, il lui arrivait souvent de ne pas rentrer. Il buvait beaucoup.

Breece m'a observé un long moment et je voyais bien qu'il ne me croyait pas. J'ai baissé les yeux et examiné le carnet de Bennett. Il avait rempli la page d'une écriture nette et efféminée – de grosses lettres rondes écrites à l'encre bleu pâle. Les points remplacés par des ronds. Son stylo, un truc en or genre luxe, était suspendu au-dessus de la page, attendant la suite de l'interrogatoire.

Breece s'est levé, a remonté son pantalon et s'est dirigé vers la fenêtre.

— Possèdes-tu un sac de couchage, Martyn ?

— Un sac de couchage ? ai-je répété, l'air abasourdi.

— Un sac de couchage.

J'ai regardé Bennett.

— Est-ce bien utile, inspecteur ? a demandé Bennett.

Breece l'a ignoré.

— Possèdes-tu un sac de couchage ? a-t-il insisté.

— Non, ai-je répondu.

— Tu en es sûr ?

— Pourquoi j'en aurais un ?

– Je ne vois pas l'intér…, a commencé Bennett.

– Monsieur Bennett, la question est en rapport direct avec notre enquête. Je vous prie de laisser Martyn répondre.

Bennett s'est mis à griffonner dans son carnet d'un air mécontent et Breece a continué.

– Et ton père ? Il possédait un sac de couchage ?

– Je ne sais pas. Peut-être. Je ne sais pas.

Breece a jeté un coup d'œil à Finlay par-dessus mon épaule, a cligné de l'œil puis est revenu à moi.

– On a retrouvé le corps de ton père dans un sac de couchage. Des fibres identiques à celles découvertes dans le sac de couchage ont été ramassées chez toi, hier soir, par la police scientifique.

– Dans un sac de couchage ? ai-je dit encore, d'un air perplexe.

– Inspecteur…, est intervenu Bennett de son ton pour-l'amour-du-ciel-c'est-à-un-enfant-que-vous-vous-adressez.

Une fois de plus, Breece l'a ignoré. Il est revenu lentement vers la table et s'est assis sans me quitter des yeux. Son expression réussissait à traduire à la fois l'inquiétude et la méfiance.

– Le sac de couchage avait été agrafé, lesté de pierres et enfin balancé au fond d'un puits de carrière rempli d'eau.

– Vraiment, inspecteur ! a crié Bennett en bondissant de sa chaise. Je ne peux pas permettre cela !

Breece a relevé lentement la tête pour fixer Bennett d'un air insolent.

— Asseyez-vous, monsieur Bennett.

— Vous allez trop loin, inspecteur. Martyn…

— Asseyez-vous, monsieur Bennett, a ordonné Breece.

Le visage de Bennett s'est empourpré mais il a obéi. J'avais presque de la peine pour lui.

— Les premiers rapports, a repris Breece, indiquent que ton père était sans doute mort depuis un certain temps.

— Je ne comprends pas, ai-je dit.

— Et nous non plus. C'est bien pour ça que nous en parlons avec toi.

Il s'est interrompu en se grattant la nuque d'un air absent.

— Y a-t-il quelque chose que tu souhaites me raconter, Martyn ? a-t-il ajouté. Quelque chose que tu aurais pu avoir oublié ?

— À quel sujet ?

— N'importe. Dean West par exemple.

Là, c'était la partie la plus délicate. J'ai hésité.

— Peut-être…

— Peut-être, a répété Breece en se carrant dans sa chaise.

J'ai attendu en clignant des paupières, l'air nerveux.

— J'avais peur.

— Peur de quoi ?

– De lui, de Dean.

– Pourquoi avais-tu peur de lui ?

– Il a juré de me faire la peau.

– Quand ?

– Il y a quinze jours, ai-je expliqué en bégayant et en retenant mes larmes. On avait organisé un bal de Noël pour fêter la fin du trimestre à l'école. J'ai discuté avec une fille. C'est tout ce que j'ai fait, discuter avec elle. Je savais pas que c'était la petite amie de Dean.

Derrière moi, Finlay est intervenu pour la première fois.

– Comment s'appelle-t-elle ?

Je ne me suis pas retourné.

– Je sais pas. Je ne lui ai parlé qu'une ou deux minutes. Elle était toute seule, elle attendait dans le couloir. On a juste commencé à discuter. Elle était très gentille, et jolie. Nous avons simplement discuté. Dean est arrivé au bout du couloir et brusquement, elle a pris peur et m'a dit qu'il valait mieux que je parte. C'était son petit ami, elle m'a dit, et il aimait pas qu'elle parle à d'autres garçons. J'ai pensé qu'elle était simplement idiote, vous savez, qu'elle essayait de m'impressionner. Mais elle avait vraiment l'air d'avoir peur. Alors, j'ai décidé de m'en aller. Juste au moment où je partais, j'ai entendu Dean crier quelque chose et il m'a foncé dessus.

– Qu'est-ce que tu as fait ?

– J'ai couru, ai-je répondu en haussant les épaules. Il avait l'air en colère, hors de lui. Je crois qu'il était soûl.

– Et ensuite ?

– J'ai couru, voilà tout. Je ne sais pas s'il m'a suivi, je me suis pas retourné. Je suis rentré chez moi. Et j'y ai plus repensé. Mais deux jours plus tard, j'ai commencé à entendre des rumeurs, comme quoi il était après moi, qu'il savait qui j'étais et qu'il allait me faire ma fête.

– À cause de la fille ? m'a demandé Breece, d'un air surpris.

– J'imagine.

– Et tu sais pas son nom ?

– Non.

– Elle avait quel âge ? a demandé Finlay. À quoi elle ressemblait ?

– Seize, dix-sept ans. Grande comme moi, les cheveux courts, blonde, jolie.

– Elle était de ton collège ?

– Non, je ne l'avais jamais vue avant.

– Qu'est-ce qu'il faisait à une fête du collège, Dean ? a demandé Breece.

– Je sais pas. Il était là avec d'autres motards.

Breece a froncé les sourcils. Il n'était pas content.

– Tu l'as vu récemment, alors ?

J'ai hoché la tête puis, me souvenant de la cassette, j'ai dit :

– Oui.

– Quand ?

– La semaine dernière, ai-je déclaré d'un ton plein de remords. Il est passé à la maison.

– Quand ça ?

– Jeudi. Avec un de ses potes motards.

– Son nom ? a demandé Finlay.

– Je sais pas. Il était plus petit que Dean, plus mince, plus jeune, avec des cheveux noirs en désordre. Ils sont entrés dans la maison… je croyais qu'ils venaient me régler mon compte…, ai-je expliqué en frissonnant à ce souvenir.

– Continue, m'a encouragé Breece en regardant à nouveau Finlay.

– Papa pouvait pas m'aider, il était malade, il dormait dans sa chambre au premier. Dean m'a un peu bousculé et m'a ordonné de pas m'approcher de sa copine sinon il me tuerait.

– Il a dit ça ? Qu'il te tuerait ?

– Oui. Et puis il m'a demandé s'il y avait de l'argent dans la maison. Si je ne lui donnais pas d'argent, ses copains et lui allaient s'occuper de moi. Je lui ai expliqué qu'il n'y en avait pas, on n'avait pas du tout d'argent, mais il m'a pas cru. Alors il a commencé à fouiller partout, à arracher les tiroirs, à regarder dans tous les coins, à tout fiche en l'air, mais il a rien trouvé. J'avais vraiment peur, il se conduisait comme un cinglé. Il a dit à son copain de me surveiller pendant qu'il montait à l'étage. Je l'ai entendu fouiller ma chambre, puis celle de papa…

– Il est entré dans la chambre de ton père ?

– Oui. Il est allé partout. En redescendant, il avait des lettres dans la main et un espèce de sourire de fou. C'étaient les lettres que vous m'avez montrées, celles sur l'argent de papa, le testament. J'étais au courant de rien.

– Juste une minute, Martyn, est intervenu Bennett. Tu n'es pas obligé de...

– Ça va, l'ai-je interrompu. Je veux raconter ce qui s'est passé.

– Oui, je sais, mais...

– Je veux le faire, ai-je répété. D'accord ?

Bennett a fait la moue et s'est replongé dans son calepin.

– Dean m'a montré les lettres, ai-je continué, en me disant qu'il voulait l'argent, la totalité. Trente mille livres. Je lui ai expliqué que j'étais pas au courant, qu'il s'agissait de l'argent de papa. Qu'il était probablement à la banque. Mais il s'en fichait. Il était complètement surexcité, comme s'il avait pris de la drogue. Il m'a annoncé qu'il reviendrait lundi et que s'il avait pas l'argent à ce moment-là, il me tuerait.

– Pourquoi n'es-tu pas venu nous raconter tout cela ? a demandé Breece.

– Il m'a prévenu que, s'il lui arrivait quelque chose, ses copains viendraient s'occuper de moi.

– Il est revenu ? Lundi ?

– Oui, ai-je répondu en reniflant. Vers l'heure du déjeuner. Je savais pas quoi faire. J'aurais bien voulu en parler à papa, mais il a été malade jusqu'à samedi et après, il a disparu. J'étais tout seul. J'avais la trouille, je savais pas quoi faire. J'ai dit à Dean que je pouvais pas avoir l'argent, j'ai essayé d'expliquer pourquoi, mais il voulait rien écouter, il était furieux, il se jetait partout en hurlant que je signais mon arrêt de mort, que j'étais déjà de l'histoire ancienne…

– Il était seul ?

– Je sais pas. Quand il est arrivé, j'ai cru apercevoir quelqu'un derrière lui sur la moto, la même personne qui l'accompagnait jeudi, mais il est entré tout seul dans la maison, alors je sais plus très bien. Il neigeait, on n'y voyait pas grand-chose.

– Que s'est-il passé ensuite ?

– Il m'a encore menacé et… je sais pas… il est monté un petit moment, il est allé aux toilettes, et puis je l'ai encore entendu se déplacer dans la chambre de papa. Il avait apporté un sac, genre sac à dos. Je crois qu'il a piqué des trucs.

– Quels trucs ?

– Je sais pas. J'entre jamais dans la chambre de papa. Je sais pas ce qu'il possède.

– Il est vraiment allé dans la salle de bains ?

– Oui, je l'ai entendu.

– Et ensuite ?

– Rien, à vrai dire. Quand il est redescendu, il a dit qu'il me laissait encore une chance de trouver l'argent. Il reviendrait le soir, et cette fois, avec ses copains. Mais je ne l'ai jamais revu, ai-je ajouté en haussant les épaules.

Le silence s'est installé dans la pièce. Bennett a cessé d'écrire et Breece est resté là à me regarder ; il réfléchissait tout en se tirant sur la peau du cou. Derrière moi, j'entendais Finlay qui griffonnait dans un calepin et de l'autre côté de la pièce, le magnétophone continuait à bourdonner, enregistrant le silence avec indifférence.

– Pourquoi ne m'as-tu pas raconté tout cela plus tôt ? m'a demandé Breece.

J'ai baissé les yeux, honteux.

– J'avais peur. Je ne savais pas quoi faire. Je m'excuse.

– Est-ce que tu t'es jamais approché de la moto de Dean ?

– Non.

– As-tu vu quelqu'un s'en approcher ?

– Non. À moins qu'il y ait vraiment eu quelqu'un avec lui quand il est arrivé. Vous savez, celui qui l'accompagnait jeudi.

– As-tu vu Dean avec un sac de couchage ?

– Non.

– Et dans son sac ? Tu as dit qu'il avait un sac à dos. Aurait-il pu y mettre un sac de couchage ? Ou n'importe quoi d'autre ?

J'ai réfléchi à cela un petit moment.

– Peut-être. Je sais pas.

– Et cet argent…

– Je crois que ça suffit comme ça, inspecteur, l'a interrompu Bennett.

– J'ai encore quelques quest…

– Je suis un peu fatigué, c'est vrai, ai-je dit.

Ce qui n'était pas peu dire. Mentir est une tâche épuisante et comme en plus, je n'avais ni mangé ni dormi depuis des lustres, j'étais prêt à tomber dans les pommes.

Breece m'a encore regardé attentivement. Difficile de savoir ce qu'il pensait à présent. Mais au moins, je lui avais donné du grain à moudre.

– Très bien, a-t-il fini par lâcher en regardant sa montre. Entretien terminé à 13 h 02.

Il a fait signe à Finlay d'éteindre le magnétophone.

– Je peux rentrer chez moi, maintenant ?

Breece s'est levé en s'étirant, tout en jetant un regard à Bennett.

– Nous ne pouvons pas te laisser tout seul chez toi, Martyn, a déclaré Bennett.

– Pourquoi ?

– Tu es trop jeune.

– Je l'ai déjà fait avant.

– Ça, on peut pas dire le contraire, a-t-il répliqué en rangeant proprement son carnet et son stylo dans son porte-documents. Ta tante a gentiment proposé de s'occuper de toi.

– Pas question.

– Pardon ?

– J'irai pas chez elle.

– Pourquoi ?

– J'y vais pas, c'est tout.

Les lèvres minces de Bennett ont esquissé un sourire.

– Je crains bien que tu n'aies pas le choix.

– Je reste ici.

Finlay a trouvé ça amusant et ça lui a arraché un petit rire.

– Tu ne peux pas rester ici, a dit Bennett.

Cette voix d'imbécile, et cette façon de me parler comme si j'étais débile… j'ai eu envie de lui coller mon poing dans la tronche. Je savais que je le ferais s'il continuait comme ça. Alors, j'ai décidé de la boucler.

Bennett a pris mon silence pour de la résignation.

– Je vais te déposer en voiture chez ta tante. En route, nous pourrons discuter, mettre les choses à plat.

C'est toi que je vais mettre à plat, ai-je pensé.

De l'autre côté de la pièce, Breece m'observait. Je savais qu'il ne me croyait pas. Il était persuadé que je mentais mais il ignorait pourquoi.

– Tout est réglé, inspecteur ? a demandé Bennett.

Breece ne me quittait pas des yeux.

– Inspecteur ?

Breece s'est tourné vers Bennett et l'a regardé comme s'il était rien de plus qu'une petite mauvaise odeur. Bennett a pincé les lèvres. Après un silence pesant, Breece a haussé les épaules en hochant la tête. Puis il s'est mis à ranger ce qui traînait sur la table.

– Nous aurons encore besoin de discuter avec toi, a-t-il déclaré.

– Je ne quitterai pas la ville, ai-je répondu.

Il a eu un sourire sans chaleur mais n'a fait aucun commentaire. Finlay a écrit quelque chose au dos des cassettes. Ensuite, il les a empochées, a fermé son carnet, a regardé Breece puis est allé se poster près de la porte. Breece a enfilé sa veste.

– Comment l'avez-vous trouvé ? ai-je demandé.

Breece s'est immobilisé.

– Quoi ?

– Mon père. Comment vous l'avez trouvé ?

– Des plongeurs.

– Oui, mais comment vous avez su qu'il était là ?

– Qu'il était où ?

– Dans la carrière. Vous m'avez bien dit qu'il était au fond d'un puits dans une carrière, lesté avec des cailloux ?

– Des pierres, j'ai dit.

– Des pierres, des cailloux, quelle différence ?

Un vague sourire est passé sur son vieux visage aux traits burinés. Il a glissé son stylo dans sa poche de poitrine.

– Coup de téléphone anonyme, a-t-il expliqué. À trois heures du matin, sur un portable volé. On nous a donné l'emplacement exact du corps. Une voix mâle, dans les quarante ans, quelqu'un de soûl. Tu as une idée ? a-t-il ajouté en boutonnant son manteau.

– Non, ai-je répondu, un poil trop rapidement.

Breece a haussé un sourcil tout en ouvrant la porte.

– C'est tout ? ai-je demandé.

– Pour l'instant.

Dehors, il faisait grand jour. Le froid, la clarté, une journée banale. Une autre réalité. Comme lorsqu'on sort du cinéma en fin d'après-midi, tout paraît morne, plat, sans couleur. La lumière, l'odeur de l'air, le bruit de la circulation, faible parce que c'était Noël – tout cela était trop réel. Cet abruti de Peter Bennett m'a emmené dans le parking, en balançant ses clés de voiture dans une main et son affreux porte-documents dans l'autre, sans cesser de bavasser sur je ne sais quel sujet. Mais j'écoutais pas. Je pensais à Alex.

Alex.

Tu as vraiment pensé à tout, pas vrai ?

Et voilà la fin de mon histoire. C'est à peu près tout ce que je peux vous raconter. Je suis installé chez ma tante Jeanne depuis bientôt un an. Elle n'est pas aussi épouvantable que je l'imaginais. Même si on peut pas dire que ce soit génial. Les conneries de tantine auxquelles il faut faire face, y en a un paquet ! D'abord, faut toujours qu'elle essaye de « m'éduquer ». Elle passe son temps à vouloir me faire découvrir ce qu'elle considère comme une vie sociale réussie – des petites réceptions ennuyeuses, des gens charmants, les bonnes manières, des loisirs intelligents. Elle appelle cela « l'apprentissage de la vie sociale ».

– Martyn, pour l'amour du ciel, trouve-toi donc une activité intéressante – la randonnée, l'observation des oiseaux, quelque chose de sain. Tu peux pas passer toute la journée au lit à lire des romans policiers.

Pourquoi pas ?

Et elle veut toujours savoir où je vais, où je suis allé, avec qui j'étais. À vrai dire, ça n'a aucune importance, étant donné que je ne vais presque jamais nulle part. Et même si je sors, je ne lui raconte rien. Je mens. Mais n'empêche, ça me tape sur les nerfs.

Au moins, elle a une maison assez agréable. Une maison jumelle, de l'autre côté de la ville, agréable et tranquille, avec plein d'espace. Et pour l'argent, elle est très correcte. Alors, la situation n'est pas si catastrophique.

Le plus drôle, c'est que j'ai découvert qu'elle aussi, elle boit. Exactement comme papa. Un trait de famille, sans doute. Elle fait remarquer avec insistance qu'elle boit uniquement en société – du sherry, des cocktails, ce genre de trucs – mais en réalité, elle planque des bouteilles dans tous les coins. Sous l'évier, dans le séchoir, dans la salle de bains. Surtout du gin. La plupart du temps, on ne s'aperçoit pas qu'elle a bu, elle donne sacrément bien le change, beaucoup mieux que papa. Mais certains soirs, quand elle a picolé toute la journée, je la vois monter l'escalier en vacillant, le visage cramoisi, marmonnant comme une soûlarde. Elle raconte qu'elle a attrapé un rhume et se colle un mouchoir parfumé contre la bouche pour masquer l'odeur de l'alcool. Mais cela ne me dérange pas vraiment. Elle ne devient jamais violente, elle est plutôt du genre ivrogne larmoyante. Elle pleure beaucoup. Des gentilles larmes tranquilles de pocharde.

Toute l'histoire autour de papa et de Dean n'a jamais débouché sur rien. Évidemment, le coroner a ordonné une enquête ; on a eu droit à quinze jours de folie, tous les journaux et les gens de la télévision grouillaient autour de nous. Et puis l'enterrement, que j'ai détesté. Horrible. Rester assis dans cette idiotie de chapelle avec des tonnes de gens que je ne connaissais pas. Personne ne parlait et ils évitaient soigneusement de regarder le cercueil recouvert d'un drap qui attendait patiemment, pendant qu'on écoutait de la musique funèbre qui venait de haut-parleurs cachés. J'ai dévisagé tous ces minables, en me demandant d'où ils sortaient. Cette vieille femme fagotée dans sa sinistre robe noire informe, qui se cramponnait au sac noir et mou posé sur ses genoux, elle avait des yeux mais pas de regard. Ces deux hommes à tête de fouine, avec des traits émaciés, qui se tenaient droits comme des piquets sous la haute fenêtre. Et la femme blonde genre pétasse qui reniflait bruyamment dans un minuscule mouchoir blanc en tirant sur l'ourlet de sa jupe noire ultra-courte, comme si elle comprenait pas pourquoi elle était habillée aussi court. Je vous connais, vous ?

Breece était là, assis discrètement au fond, vêtu de son éternel costume bleu. Et j'en connaissais encore quelques-uns : tante Jeanne, évidemment, deux gros cons venus du pub de papa, le gars du magasin d'alcool. Mais tous les autres étaient des inconnus. Des inconnus dans un endroit inconnu.

Après une bonne demi-heure de musique complètement déprimante, le vicaire s'est levé et a commencé à débiter un baratin sur papa. « Un homme vaillant, la volonté de Dieu, connaître enfin le repos », bla-blabla… J'ai essayé de ne pas écouter, préférant contempler le cercueil perché sur un chariot juste devant moi. Papa dans une boîte en contreplaqué, étendu là dans l'obscurité. Je me suis demandé à quoi il pouvait bien ressembler maintenant.

Hymnes, prières, encore du baratin, encore des hymnes. Debout, assis, fermer les yeux, ouvrir les yeux, debout, assis… puis enfin, tout a été dit, on a fait rouler le chariot, on a fermé les rideaux et la boîte a disparu.

Et voilà, c'était terminé.

Officiellement, la police n'a jamais clos le dossier, mais voilà des mois que je n'ai plus revu Breece ni Finlay. Au début, Breece continuait à fouiner partout, en posant des milliers de questions, en interrogeant les voisins, en cherchant des preuves, mais rien ne l'a jamais mené nulle part. La pelote de ficelle était nouée trop serrée. Breece a trouvé plein de trucs, mais seulement des éléments disparates. Impossible de reconstituer une histoire et de prouver quoi que ce soit. Il savait que j'étais mêlé à cette affaire d'une manière ou d'une autre, mais n'arrivait pas à comprendre comment. D'après moi, il était persuadé que Dean avait effectivement tué papa – les cheveux et le mégot de cigarette dans le sac de couchage, les lettres et les signatures dans son appartement, l'histoire que j'avais inventée sur lui – mais une fois de plus, il ne pouvait pas le prouver. Et, surtout, la raison de ce meurtre lui échappait. Pourquoi Dean aurait-il voulu se débarrasser de papa ? S'il essayait de mettre la main sur l'argent, pourquoi le tuer ?

Quant au meurtre de Dean, Breece me l'aurait volontiers collé sur le dos. Mais il était coincé. Mon histoire – la fête du collège, la petite amie, le mystérieux copain motard avec les cheveux noirs — il l'a fait vérifier à fond. Personne ne se souvenait m'avoir vu discuter avec une jolie blonde, personne ne se souvenait même m'avoir vu à la fête. Mais là encore, personne ne pouvait pas non plus prouver que je n'y étais pas.

Une de mes voisines – la bonne femme du numéro 7, la danseuse de french cancan qui m'avait montré ses dessous – a confirmé qu'elle avait vu un grand type avec une queue-de-cheval devant chez moi le jeudi, ainsi que le lundi. Il lui semblait qu'il y avait quelqu'un d'autre avec lui, un type qui aurait pu être plus petit que Dean, qui aurait pu être brun. Elle avait peut-être vu un gars s'accroupir derrière une moto pour tripoter les roues, mais elle n'était pas sûre. Il aurait même pu s'agir d'une fille.

Peut-être, si, aurait pu, éventuellement…

Quant à ce qu'il était advenu des trente mille livres, je crois bien que Breece était complètement dans le brouillard. Sur les bandes vidéo des caméras de sécurité à la banque, on distinguait une silhouette floue venue encaisser un chèque de trente mille livres le mardi matin. Elle était bien emmitouflée contre le froid, et portait manteau, écharpe et bonnet. Cette silhouette floue présentait quand même une certaine ressemblance avec M. William Pig. Même taille, même âge, même veste marron crade sous le pardessus, mêmes poches sous les yeux et même façon de marcher en traînant les pieds. Comment était-ce possible ? L'autopsie avait prouvé que papa était déjà mort à ce moment-là. Ainsi que Dean. Alors, bon Dieu, de qui s'agissait-il ?

Pas moi, bien sûr, j'étais trop petit.

Tante Jeanne a déclaré sous serment que papa vivait encore vendredi. Il était au lit, malade, a-t-elle dit, avec une vraie mine de déterré.

Dans la carrière, près du puits, la police n'a trouvé ni empreintes de pas ni traces de pneus, la terre était trop dure, complètement gelée. Les empreintes de Dean chez moi prouvaient qu'il y était venu, mais impossible d'identifier celles qu'on a trouvées à l'étage – en dehors des miennes, de celles de papa et de tante Jeanne. Alors, quelqu'un accompagnait-il Dean quand il était venu le lundi ? Ou papa avait-il une mystérieuse petite amie ? Qui sait ? (Je me suis toujours demandé si Breece était allé voir Maeve, ce cœur pas si solitaire. Cette question ne m'a pas préoccupé au point d'en perdre le sommeil, mais quand même, j'espérais qu'il n'en avait rien fait.) Évidemment, on trouvait mes empreintes partout. Mais je vivais là, alors ça ne prouvait rien.

Un témoin s'est souvenu avoir vu une voiture ou une camionnette garée devant chez moi samedi soir, un autre a cru avoir entendu quelqu'un crier… la liste était interminable, des douzaines de bribes d'indices éparpillés qui ne menaient strictement nulle part.

Parce que ce que la police pense n'a pas d'importance, ce qu'elle sait non plus, seules comptent les preuves. S'ils ne peuvent pas prouver quelque chose, ils ne peuvent rien faire. Rien de rien. Coincés. C'est comme ça que ça marche, la justice.

Au bout de deux ou trois mois, toute l'affaire a tourné en eau de boudin. On lâchait le dossier, on le mettait aux oubliettes. Une perte de temps.

La police n'a fait allusion à Alex qu'une seule fois. Breece était encore passé me rendre visite et me poser des questions. J'avais fini par m'y habituer. Facile. Il suffit de se tenir à ce qu'on a déjà déclaré, et s'il surgit une question épineuse, on ne s'en souvient plus. En cas de doute, on se tait. Bon, on devait être aux alentours de la fin avril. Nous nous trouvions dans la serre, chez tante Jeanne. Chez moi donc. Tante Jeanne faisait son ménage de printemps. Je la voyais par la fenêtre en train de cirer les meubles comme une folle dans le salon, penchée sur la table, les manches remontées, et son bras armé d'un chiffon pompait comme un piston. Le soleil de printemps pénétrait à flots par les portes ouvertes de la serre, ça sentait bon les fleurs coupées. Breece était avachi dans un fauteuil en osier, encore plus fatigué que d'habitude ; il buvait du thé avec l'air de s'ennuyer. Toujours le même vieux costume hors d'usage, la même vieille tête ravagée. Il était en train de divaguer sur je ne sais quoi lorsque brusquement, sans prévenir, il s'est arrêté au milieu d'une phrase pour me lancer :

– Est-ce que tu connaissais bien Alexandra Freeman ?

– Qui ? ai-je dit en m'étranglant à moitié.

– Alexandra Freeman. Elle vivait près de chez toi.

– Ah oui, Alex. Oui, je me souviens d'elle.

– Vous étiez amis ?

– Non, pas vraiment. Enfin, plus ou moins. Il nous est arrivé de nous voir… vous voyez ce que je veux dire.

– Non, je ne vois pas.

J'ai haussé les épaules.

– Est-elle jamais venue chez toi ?

– Une ou deux fois.

– Une ou deux fois ? Pas plus que ça ?

– Peut-être deux trois fois de plus. Vraiment, je m'en souviens plus. Pourquoi vous me posez cette question ? ai-je réussi à articuler.

Il a posé sa tasse et il a regardé par la fenêtre.

– Joli jardin.

– Oui, ai-je répondu en suivant son regard.

C'était effectivement un joli jardin. Une longue bande de pelouse bien entretenue bordée de massifs de fleurs bien nets, des buissons, plusieurs jeunes saules et une petite rocaille parsemée de plantes de montagne d'un vert menthe. Joli et tranquille. Paisible.

– Tu la tonds ?

– Quoi ?

– La pelouse. Tu la tonds ?

– Non.

Il a toussé derrière sa main, une toux rauque et épaisse.

– Alors, qu'est-ce que vous fabriquiez, Alexandra et toi ?

– Pas grand-chose. Comme je vous l'ai dit, je ne la connaissais pas très bien.

– Vous vous téléphoniez assez régulièrement.

– Ah bon ?

– Très régulièrement, même, à en croire les relevés.

Je ne savais pas quoi répondre.

– Surtout au moment de Noël, a continué Breece. Deux, trois fois par jour. Et même davantage.

– Elle m'aidait à propos d'un truc.

Il a haussé le sourcil.

– Un projet, ai-je expliqué. Un projet scolaire.

– Un projet.

– Un dossier à réaliser. Pendant les vacances de Noël. À propos du théâtre. Alex savait beaucoup de choses sur le métier de comédien, elle suivait des cours. Elle m'aidait à mener à bien ce projet.

Breece a hoché la tête d'un air songeur.

– C'était gentil de sa part.

– Oui… elle était comme ça. Très serviable.

– Tu l'as vue récemment ?

– Je crois qu'elle a déménagé.

– À quel moment ?

– Je ne sais pas… peu de temps après Noël, je pense.

– Tu sais où elle est partie ?

– Non. Désolé.

Il est resté silencieux pendant une ou deux minutes à contempler le jardin, en se tirant distraitement sur le lobe de l'oreille. Quelle journée magnifique ! Un ciel bleu sans nuages, les saules oscillaient doucement dans le vent, les oiseaux chantaient. On entendait au loin le ronronnement rassurant d'une tondeuse à gazon.

Breece s'est penché en avant, il m'a regardé droit dans les yeux et m'a demandé d'une voix douce :

– Qu'est-ce que ça fait, Martyn ?

– Quoi donc ?

– De s'en sortir après un meurtre.

Je me suis figé, puis je lui ai répondu calmement :

– Je ne sais pas de quoi vous parlez.

Il a souri. Je le voyais sourire pour la première fois.

– Non… j'imagine que tu ne le sais pas.

Je ne l'ai pratiquement plus revu après. Il est peut-être passé encore une ou deux fois, mais n'a plus jamais évoqué le nom d'Alex. Depuis ce jour-là, il n'agissait plus que machinalement. Rien qu'à voir l'expression de ses yeux, on comprenait qu'il avait renoncé.

Hier, j'ai reçu une lettre d'elle. D'Alex. Généralement, je ne m'occupe pas du courrier car il n'y a jamais rien pour moi, mais il s'est trouvé que je passais devant la porte au moment où le facteur lançait un paquet de lettres dans la boîte. Et encore, en temps normal, je n'y aurais pas touché, mais tante Jeanne a crié de la cuisine :

– C'est le courrier ? Apporte-le ici, Martyn, tu seras un cœur.

Encore un truc que je déteste, qu'elle me traite de cœur.

C'était une lettre par avion dans une enveloppe bleu pâle. Le tampon était illisible : quelque part, quelque chose, Californie. Adressée à moi. D'Alex. Son écriture. J'ai pris l'enveloppe et regardé mon nom. M. Pig. Son écriture. Mon cœur s'est arrêté de battre. Je ne pouvais plus respirer. Et puis ma tante a crié encore :

– Martyn ! Martyn ! Qu'est-ce que tu fabriques ?

Ça m'a remis d'aplomb, j'ai pris une grande inspiration et j'ai fourré la lettre dans ma poche. Puis je suis allé donner le reste du courrier à ma tante avant de foncer dans ma chambre.

Un seul feuillet dans l'enveloppe. Un feuillet tout mince. Le papier paraissait si fragile, j'avais l'impression qu'il allait se volatiliser. Tout en lisant ses mots, j'entendais sa voix dans ma tête. C'était irréel. Comme dans un film, on voit le héros seul dans sa chambre en train de lire une lettre d'amour et, en fond sonore, on entend la voix désincarnée de sa bien-aimée. Voilà exactement l'effet que cela me faisait. Exactement.

Cher Martyn,

Si tu lis cette lettre chez ta tante, alors cela veut dire que tout a bien tourné pour toi, donc j'espère que c'est bien là que tu es. Dans le cas contraire... eh bien, je suis désolée. J'ai essayé de laisser les choses pointées dans la bonne direction.

Tu m'as dit une fois que la notion de mal est très relative – tu disais que quelque chose est mal si on estime que ça l'est. Si on pense que c'est bien, et les autres que c'est mal, alors ce n'est mal que si on se fait pincer. À l'époque, je n'ai pas tout à fait compris ce que tu entendais par là. Mais maintenant, je crois que je suis d'accord. J'espère que toi, tu as toujours les mêmes opinions. Sinon... qu'est-ce que je peux dire ?

En tout cas, me voilà installée aux États-Unis et je me taille la route en tant qu'actrice. J'ai obtenu mon premier rôle la semaine dernière. Il ne s'agit que d'une pub, mais c'est toujours un début. Un spot pour un déodorant. Je dois marcher sur une plage, en bikini, l'air superdétendue. Qu'est-ce que t'en penses ? On me verra à la télévision. j'ai également des auditions en perspective pour de vrais rôles – pour le cinéma, le théâtre, les comédies musicales. Un authentique travail de comédienne.

Alors, tu ferais bien de te grouiller d'écrire ce roman policier dont tu m'as parlé, celui où je joue le rôle de la belle maîtresse de l'assassin, parce que si tu traînes trop, je serai devenue bien trop célèbre pour en être la vedette – je ne serai plus dans tes moyens !

Surtout, Martyn, continue à écrire.

Je suis sûre que tu es capable de bâtir une histoire.

Je t'embrasse.

A.

J'ai reposé la lettre et j'ai jeté un œil par la fenêtre. Il commençait à neiger.

DANS LA MÊME COLLECTION

Manhattan macadam
d'Ariel et Joaquin Dorfman

Traduit de l'anglais (États-Unis)
par Nathalie M.-C. Laverroux

New York.

Une ville monstrueuse, sans état d'âme. Une ville qui avale les gens sans aucune pitié. Chacun vit dans son coin, vaque à ses petites affaires… Et quand les mauvaises nouvelles arrivent, plus personne n'est là pour tendre la main. Sauf Heller, ce garçon anonyme qu'on ne remarque pas, mais qui rappelle à chacun ce qu'il y a d'humain en lui.

Extrait :

« Le monde entier va fondre », se dit Heller.

C'était le 4 juillet, et tout Manhattan transpirait. La sueur suintait des rues, des immeubles, des robinets. Toutes les radios parlaient d'un temps inhabituel. Les couples se réveillaient dans des draps humides. Les ouvriers du bâtiment travaillaient torse nu, et les agents de change desserraient leurs cravates avec un soupir d'envie. Les touristes se plaignaient, les vendeurs de glaces souriaient, et le mercure menaçait de faire exploser le thermomètre.

Heller Highland voyait tout ça, et ce qu'il ne pouvait pas voir, il le savait, tout simplement.

Entre chiens et loups
de Malorie Blackman

Traduit de l'anglais
par Amélie Sarn

Imaginez un monde. Un monde où tout est noir ou blanc. Où ce qui est noir est riche, puissant et dominant. Où ce qui est blanc est pauvre, opprimé et méprisé. Un monde où les communautés s'affrontent à coups de lois racistes et de bombes.

C'est un monde où Callum et Sephy n'ont pas le droit de s'aimer. Car elle est noire et fille de ministre. Et lui blanc et fils d'un rebelle clandestin…

Et s'ils changeaient ce monde ?

Extrait :

Callum m'a regardée. Je ne savais pas, avant cela, à quel point un regard pouvait être physique. Callum m'a caressé les joues, puis sa main a touché mes lèvres et mon nez et mon front. J'ai fermé les yeux et je l'ai senti effleurer mes paupières. Puis ses lèvres ont pris le relais et ont à leur tour exploré mon visage. Nous allions faire durer ce moment. Le faire durer une éternité. Callum avait raison : nous étions ici et maintenant. C'était tout ce qui comptait. Je me suis laissée aller, prête à suivre Callum partout où il voudrait m'emmener. Au paradis. Ou en enfer.

La Couleur de la haine
de Malorie Blackman

Traduit de l'anglais
par Amélie Sarn

Imaginez un monde. Un monde où tout est noir ou blanc. Où ce qui est noir est riche, puissant et dominant. Où ce qui est blanc est pauvre, opprimé et méprisé.

Noirs et Blancs ne se mélangent pas. Jamais. Pourtant, Callie Rose est née. Enfant de l'amour pour Sephy et Callum, ses parents. Enfant de la honte pour le monde entier. Chacun doit alors choisir son camp et sa couleur. Mais pour certains, cette couleur prend une teinte dangereuse… celle de la haine.

Extrait :

J'ai compris que je ne savais rien de la manière dont je devais m'occuper de toi, Callie. Tu n'étais plus une chose sans nom, sans réalité. Tu n'étais plus un idéal romantique ou une simple manière de punir mon père. Tu étais une vraie personne. Et tu avais besoin de moi pour survivre. Callie Rose. Ma chair et mon sang. À moitié Callum, à moitié moi, et cent pour cent toi. Pas une poupée, pas un symbole, ni une idée, mais une vraie personne avec une vie toute neuve qui s'ouvrait à elle.

Et sous mon entière responsabilité.

Le Choix d'aimer
de Malorie Blackman

Traduit de l'anglais
par Amélie Sarn

Imaginez un monde. Un monde où tout est noir ou blanc.
Où ce qui est noir est riche, puissant et dominant. Où ce
qui est blanc est pauvre, opprimé et méprisé.

Dans ce monde, une enfant métisse est pourtant née, Callie
Rose. Une vie entre le blanc et le noir. Entre l'amour et
la haine. Entre des adultes prisonniers de leurs propres
vies, de leurs propres destins.

Viendra alors son tour de faire un choix. Le choix d'aimer,
malgré tous, malgré tout...

Extrait :

Voilà les choses de ma vie dont je suis sûre :
Je m'appelle Callie Rose. Je n'ai pas de nom de famille.
J'ai seize ans aujourd'hui. Bon anniversaire, Callie Rose.
Ma mère s'appelle Perséphone Hadley, fille de Kamal Hadley.
Kamal Hadley est le chef de l'opposition – et c'est un
salaud intégral. Ma mère est une prima – elle fait donc
partie de la soi-disant élite dirigeante.
Mon père s'appelait Callum MacGrégor. Mon père était un
Nihil. Mon père était un meurtrier. Mon père était un violeur.
Mon père était un terroriste. Mon père brûle en enfer.

L'Affaire Jennifer Jones
d'Anne Cassidy

Traduit de l'anglais
par Nathalie M.-C. Laverroux

Alice Tully. 17 ans, jolie, cheveux coupés très court. Étudiante, serveuse dans un bistrot. Et Frankie, toujours là pour elle.

Une vie sans histoire.

Mais une vie trop lisse, sans passé, sans famille, sans ami. Comme si elle se cachait. Comme si un secret indicible la traquait...

Extrait :

Au moment du meurtre, tous les journaux en avaient parlé pendant des mois. Des dizaines d'articles avaient analysé l'affaire sous tous les angles. Les événements de ce jour terrible à Berwick Waters. Le contexte. Les familles des enfants. Les rapports scolaires. Les réactions des habitants. Les lois concernant les enfants meurtriers. Alice Tully n'avait rien lu à l'époque. Elle était trop jeune. Cependant, depuis six mois, elle ne laissait passer aucun article, et la question sous-jacente restait la même : comment une petite fille de dix ans pouvait-elle tuer un autre enfant ?

Judy portée disparue
d'Anne Cassidy

Traduit de l'anglais
par Marie Cambolieu

Huit ans. Huit ans déjà que Judy a disparu. Pourtant, pour sa sœur Kim, Judy est partout. Pas un jour sans que Kim ne pense à elle. Pas un jour sans qu'elle croie l'apercevoir parmi les autres enfants. Judy n'est plus là ; mais elle prend toute la place.
Et Kim ne vit plus que pour cet infime espoir : retrouver sa sœur.

Extrait :
L'émission sur les enfants disparus commença. L'animateur présenta les quatre enfants dont il serait question ce soir. En voyant la photo de Judy, j'oubliai tout autour de moi, absorbée par la télévision, incapable de détourner les yeux de l'écran.
« Judy Hockney n'avait que cinq ans lorsqu'elle a disparu par un froid après-midi de novembre. Il y a huit ans. C'était une enfant douée, bavarde, chaleureuse. Peu avant sa disparition, elle se trouvait avec sa sœur Kim. Après s'être disputée avec elle, Judy est partie seule de son côté et plus personne ne l'a revue ».

La Promesse d'Hanna
de Mirjam Pressler

Traduit de l'allemand
par Nelly Lemaire

Pologne, 1943. Malka Mai avait tout pour être heureuse. Une mère médecin, Hanna, une grande sœur complice, Minna, une vie calme et sans histoire, dans un paisible village. Bonheur fragile, car la famille Mai est juive. Et lorsque les Allemands arrivent pour rafler les juifs, tout bascule. Mère et filles doivent fuir en Hongrie, à pied, à travers la montagne, vers une promesse de liberté. Mais Malka est brutalement séparée de sa mère et doit revenir de force en Pologne. Un seul refuge possible : le ghetto.

Extrait :

La rafle eut lieu le lendemain. Au petit matin, des voitures passèrent dans le ghetto avec des haut-parleurs, et des voix retentissantes donnèrent l'ordre à tous de rester à la maison. Les Goldfaden rassemblèrent toute la nourriture possible et ficelèrent leurs couvertures. Malka les regardait faire.

– Nous ne pouvons pas te prendre avec nous, dit Mᵐᵉ Goldfaden en évitant de la regarder. Nous n'avons pas assez de place ni assez de nourriture. Sors d'ici, tu entends, sors d'ici et va te cacher quelque part.

Pacte de sang
de Wendelin Van Draanen

Traduit de l'anglais (États-Unis)
par Nathalie M.-C. Laverroux

Joey ne devrait pas être inquiet. Il sait qu'un véritable
ami ne trahit jamais un secret.Même un secret terrible,
qui les ronge peu à peu...

Extrait :
*J'ai l'impression que Joey et moi, nous passions notre
temps à sceller des pactes. Un nombre incroyable, qui nous
a conduits à cet ultime serment. Joey me disait toujours :
– Rusty, j'te jure, si tu en parles à quelqu'un...
– Je ne dirai rien ! Juré !
Il tendait le poing et nous exécutions toujours le même
rituel, qui consistait à cogner nos phalanges les unes
contre les autres. Puis, après nous être entaillé un doigt
avec un canif, nous mélangions nos sangs, et Joey
poussait un soupir.
– Rusty, tu es un véritable ami.
Et notre pacte était scellé.
Pour la vie.*

La Face cachée de Luna
de Julie Anne Peters

Traduit de l'anglais (États-Unis)
par Alice Marchand

Le frère de Regan, Liam, ne supporte pas ce qu'il est.
Tout comme la lune, sa véritable nature ne se révèle que
la nuit, en cachette. Depuis des années, Liam « emprunte »
les habits de Regan, sa sœur. Dans le secret de leurs
chambres, Liam devient Luna. Le garçon devient fille.
Un secret inavouable. Pour la sœur, pour le frère, et pour
Luna elle-même.

Extrait :
En me retournant, j'ai marmonné :
– T'es vraiment pas normale.
– Je sais, a-t-elle murmuré à mon oreille. Mais tu m'aimes,
pas vrai ?
Ses lèvres ont effleuré ma joue.
Je l'ai repoussée d'une tape.
Quand je l'ai entendue s'éloigner d'un pas lourd vers mon
bureau – où elle avait déballé son coffret à maquillage
dans toute sa splendeur –, un soupir de résignation s'est
échappé de mes lèvres. Ouais, je l'aimais. Je ne pouvais
pas m'en empêcher. Cette fille, c'était mon frère.

Trop parfait pour être honnête
de Joaquin Dorfman

Traduit de l'anglais
par Nathalie M.-C. Laverroux

Sebastian est l'ami parfait ! Toujours prêt à donner un coup de main. LE copain sur qui on peut compter. Alors le jour où Jeremy lui demande de retrouver son père, Sebastian fonce avec un plan imparable : retrouver ce père jusque-là inconnu et se faire passer pour Jeremy. Juste pour préparer le terrain, afin que son ami ne soit pas déçu. Sauf que, cette fois, Sebastian joue un peu trop bien son rôle.

Extrait :
Jeremy examina de nouveau la photo.
– Il a l'air un peu brut de décoffrage...
Il tapota le cliché du bout des doigts.
– Un sacré bonhomme. Est-ce que je serai capable de faire une impression quelconque sur un type comme lui ?
Je haussai les épaules.
– Je n'en sais rien. C'est pour ça que nous avons prévu de permuter nos noms. Pour en apprendre le plus possible en courant le moins de risques possible. Ce qui nous donne aussi une sortie de secours béton, au cas où ton père ne serait pas clair.

V-Virus
de Scott Westerfeld

Traduit de l'anglais
par Guillaume Fournier

Avant de rencontrer Morgane, Cal était un étudiant new-yorkais tout à fait ordinaire. Il aimait la fête et les bars, la vie insouciante du campus. Il aura suffi d'une seule nuit d'amour, la première, pour que sa vie bascule. Désormais, Cal est porteur sain d'une étrange maladie. Ceux qui en sont atteints ne supportent plus la lumière du jour, fuient ceux qu'ils ont aimés et ont une fâcheuse tendance à se repaître de sang humain. Des vampires d'un genre nouveau...

Extrait :

Morgane vida son verre, je vidai le mien ; nous en vidâmes quelques autres. Ensuite, mes souvenirs deviennent de plus en plus flous. Je me rappelle seulement qu'elle avait un chat, une télé à écran plat et des draps de satin noir. Par la suite, tout ce qu'il me restait de ma soirée, c'était une assurance nouvelle auprès des femmes, des superpouvoirs qui commençaient à se manifester, ainsi qu'un penchant pour la viande saignante...

Une première version de cet ouvrage
est parue en 2004 aux éditions Hachette Jeunesse
sous le titre *Innocent criminel*.

Achevé d'imprimer en France par France-Quercy, à Cahors
Dépôt légal : 4ᵉ trimestre 2007
N° d'impression : 72138/